As 4 Nobres Verdades do Budismo e o Caminho da Libertação

Dados Internacionais de Catalogação na Publicação (CIP)
(Câmara Brasileira do Livro, SP, Brasil)

Trungpa, Chögyam
As 4 nobres verdades do budismo e o caminho da libertação/ Chögyam Trungpa ; compilado e organizado por Judith L. Lief ; tradução Oddone Marsiaj. — 1. ed. — São Paulo : Cultrix, 2013.

Título original: The truth of suffering and the path of liberation.
Bibliografia
ISBN 978-85-316-1225-1

1. Budismo 2. Budismo - Doutrinas 3. Conduta de vida 4. Espiritualidade 5. Filosofia budista 6. Verdade I. Lief, Judith L.. II. Título.

13-02598 CDD-294.342

Índices para catálogo sistemático:
1. Budismo : Doutrinas : Religião 294.342

CHÖGYAM TRUNGPA
Compilado e organizado por Judith L. Lief

As 4 Nobres Verdades do Budismo e o Caminho da Libertação

Tradução:
ODDONE MARSIAJ

Editora Cultrix
SÃO PAULO

Título original: *The Truth of Suffering and the Path of Liberation.*

Edição original publicada em associação com Vajradhatu Publications.

Edição em língua portuguesa, no Brasil, publicada mediante acordo com a Shambhala Publications, Inc., 300 Massachusetts Avenue, Boston, MA 02115, USA.

Texto de acordo com as novas regras ortográficas da língua portuguesa.

1ª edição 2013.

5ª reimpressão 2024.

Editor: Adilson Silva Ramachandra
Editora de texto: Denise de C. Rocha Delela
Coordenação editorial: Roseli de S. Ferraz
Revisão técnica: Comissão de Tradução — Shambhala Brasil e Dharma/Arte
Preparação de originais: Dharma/Arte
Produção editorial: Indiara Faria Kayo
Assistente de produção editorial: Estela A. Minas
Revisão: Maria Aparecida A. Salmeron e Vivian Miwa Matsushita
Editoração eletrônica: Fama Editora

Direitos de tradução para o Brasil
adquiridos com exclusividade pela
EDITORA PENSAMENTO-CULTRIX LTDA que se reserva a
propriedade literária desta tradução.
Rua Dr. Mário Vicente, 368 — 04270-000 — São Paulo, SP
Fone: (11) 2066-9000
E-mail: atendimento@editoracultrix.com.br
http://www.editoracultrix.com.br
Foi feito o depósito legal.

SUMÁRIO

PREFÁCIO DA EDITORA

Neste livro, Chögyam Trungpa discute com clareza e perspicácia os ensinamentos budistas sobre as quatro nobres verdades. Ele toma esses ensinamentos aparentemente simples e sistematicamente descobre suas muitas camadas de sutileza e sofisticação. Sua apresentação entretece habilmente a exposição erudita do material com uma interpretação diferente e atualizada, adequada ao praticante contemporâneo do dharma. À maneira de um grande músico de jazz, Trungpa concentra-se no tema central, explora-o em profundidade e então decola em variações de improviso antes de retornar aos princípios essenciais. Como é típico de seu estilo de ensinar, faz repetidamente a ligação do material que está discutindo com as práticas meditativas e contemplativas que dão vida a esses ensinamentos.

Chögyam Trungpa Rinpoche (1940-1987) foi educado formalmente na tradição monástica tibetana, como o décimo primeiro *tülku* Trungpa e abade do Mosteiro de Surmang, no Leste do Tibete. (*Rinpoche* é um título honorífico que significa "o precioso" ou "joia preciosa". O termo *tülku* indica uma pessoa que é considerada reencarnação ou herdeiro espiritual de um mestre específico.) Como muitos outros tibetanos, escapou de seu país depois da tomada pelos comunistas e entrou na Índia como refugiado. Da Índia, viajou para a Grã-Bretanha, onde estudou artes e cultura ocidentais na Universidade de Oxford, antes de mudar-se para a América do Norte, em 1970. Trungpa Rinpoche foi um dos primeiros lamas a chegar aos Estados Unidos e ao Canadá, e tornou-se uma figura central na apresentação do budismo tibetano aos alunos do Ocidente.

Chögyam Trungpa Rinpoche foi um líder espiritual inovador, que continuamente experimentou novas formas de transmitir o dharma, que permitissem que ele criasse raízes na sociedade ocidental moderna não como uma novidade estrangeira ou extravagante, mas como verdadeira tradição viva. Não se restringia a abordagens pedagógicas familiares, apropriadas aos monges tibetanos, nem apresentava o dharma na linguagem árida da academia. Em vez disso, trouxe vida aos ensinamentos, falando de maneira direta, sem exotismo ou armadilhas culturais — e em inglês! Essa foi uma abordagem radical e controversa.

Trungpa Rinpoche tinha uma habilidade extraordinária para comunicar-se, o que fazia com que cada estudante tivesse a impressão de que o mestre falava diretamente com ele e apenas com ele. Era capaz de associar os ensinamentos às experiências cotidianas das pessoas comuns, apresentando uma maneira para que pessoas laicas unissem sua vida à prática e aos estudos como "yogues domésticos". Ao mesmo tempo, sua exposição era fiel à extensão e à profundidade de sua tradição. Embora tenha ensinado no Ocidente por somente dezessete anos (de 1970 a 1987), sua influência foi imensa e continua a expandir-se.

As quatro nobres verdades são centrais à tradição budista. O Buda apresentou esses ensinamentos essenciais em um dos primeiros sermões que deu depois de sua iluminação, e eles foram registrados no sutra intitulado "O primeiro giro da roda do dharma" (um trecho desse sutra é citado na página 16). Em ensinamentos ministrados mais tarde, o Buda voltou repetidas vezes às quatro nobres verdades, dando mais detalhes e elucidando sua apresentação original. Neste volume, Trungpa Rinpoche aborda as quatro nobres verdades do ponto de vista do praticante, unindo a discussão da visão, ou a compreensão intelectual desses ensinamentos, à discussão da aplicação, ou como essa visão pode ser colocada em prática.

Trungpa Rinpoche ressalta a importância de reconhecer como estamos entrincheirados em padrões habituais de sofrimento. Embora possamos preferir nos deixar absorver ao pensar na felicidade e em como conseguir ser ainda mais felizes, são nossos tropeços cegos em busca da felicidade que nos fazem cair na armadilha. A primeira nobre verdade, a verdade do sofrimento, torna isso claro: o sofrimento é real e não pode ser evitado. Para o praticante, o ponto de partida é examinar sua situação, desapaixonada e honestamente, com objetividade e rigor. É essencial romper com o antigo hábito de fuga e desejos esperançosos.

Tendo vencido nossa resistência a enfrentar o fato de que sofremos, temos a oportunidade de examinar sua causa. De acordo com a segunda nobre verdade, a causa do sofrimento é a ignorância e o desejo fundamentais. Trungpa Rinpoche discute essa verdade em sua relação com as mudanças sutis do pensamento que se transformam em fixações, depois em emoções como a inveja ou o ódio e, finalmente, em ações. O valor da prática da meditação está em que o praticante aprende a notar esse padrão em uma etapa inicial e, assim, é capaz de perceber essas mudanças sutis do pensamento antes que elas cresçam rapidamente para se transformarem em ações prejudiciais, com suas inevitáveis repercussões.

Poder-se-ia dizer que as primeiras duas nobres verdades são uma verificação da realidade, permitindo-nos começar com uma base sólida. A razão pela qual é possível para nós examinar nossa experiência dessa maneira é que começamos a desenvolver um senso de contraste na forma da terceira nobre verdade, a verdade da cessação. Nós nos damos conta de que é possível nos libertar do sofrimento. Depois de entender a origem do sofrimento e como nós o perpetuamos, podemos nos libertar, não apenas das consequências do sofrimento, mas também de sua causa subjacente.

Sem vislumbrar a possibilidade de cessação, seria muito difícil continuar a prática. A ideia de iluminação, ou da libertação do sofrimento, pareceria apenas uma possibilidade remota. Mas até mesmo praticantes comuns experimentam brechas no ciclo do sofrimento. Todos nós experimentamos sinais de despertar e de transformação, mesmo que apenas brevemente, ou de tempos em tempos. De acordo com Trungpa Rinpoche, ainda que não devêssemos procurar tais sinais de progresso, é importante apreciar essas experiências e usá-las para desenvolver maior segurança e confiança em nós mesmos e no dharma.

Depois de ter recebido uma indicação do que é possível, sentimo-nos motivados a fazer o que é necessário para chegar lá. Assim, a quarta nobre verdade é a verdade do caminho. Desde a época do Buda, muitas instruções foram desenvolvidas para ajudar o aluno na jornada à iluminação. Ao mesmo tempo, cada aluno ou aluna deverá forjar sua própria maneira. Embora seja necessário esforço, a realização não pode ser fabricada. A realização é inerente ao próprio caminho. Ao seguir o caminho, a confusão é superada e a sabedoria alvorece tão certa e naturalmente como o sol se levanta no leste.

Este livro tem sua origem em palestras ministradas nos programas de ensino de três meses que eram chamados de Seminários Vajradhatu, uma série de retiros anuais oferecidos por Trungpa

Rinpoche a seus estudantes mais avançados. Trungpa Rinpoche desenvolveu o formato Seminário para dar a seus alunos mais graduados um mapa detalhado do caminho budista e proporcionar-lhes uma imersão na prática da meditação. A prática da meditação intensiva, em grupo, oferecia o recipiente adequado para que tais ensinamentos criassem raízes, não como uma teoria abstrata, mas sob a forma de instruções práticas para o praticante de meditação. Tendo apresentado seus ensinamentos essenciais dessa maneira, Trungpa Rinpoche também expressou o desejo de oferecer esses ensinamentos a um universo mais amplo, no momento certo.

Seguindo a tradição tibetana, Trungpa Rinpoche estruturou os Seminários de acordo com as três etapas progressivas de prática e realização: o hinayana, ou "veículo menor"; o mahayana, ou "veículo maior", e o vajrayana, ou "veículo indestrutível". O hinayana refere-se ao caminho do desenvolvimento individual, exemplificado pelo *arhat*; o mahayana refere-se à união da sabedoria à ação compassiva, exemplificada pelo *bodhisattva*; e o vajrayana refere-se ao caminho do engajamento destemido e da ousadia espiritual, exemplificado pelo *siddha*. A tradução literal de hinayana como "veículo menor" pode dar a impressão de que seja não sofisticado ou inferior. Contudo, de acordo com a tradição budista tibetana, o hinayana fornece o alicerce de todo o caminho. Na jornada dos três yanas, cada yana, ou veículo, tem suas raízes na compreensão do anterior. Assim, o hinayana não é deixado para trás à medida que o aluno avança para o mahayana e o vajrayana. Os yanas são como uma série de círculos concêntricos, em que cada círculo maior contém completamente o anterior. Os três yanas são construídos um sobre o outro, fortalecendo-se continuamente, expandindo sobre o que veio antes e enriquecendo-se mutuamente. As quatro nobres verdades são o alicerce do hinayana e de todo o caminho budista.

As apresentações tradicionais das quatro nobres verdades, assim como de outros ensinamentos centrais budistas, são repletas de listas, termos e resumos detalhados, que podem resultar numa leitura árida. Ao mesmo tempo, esses resumos servem como referência inestimável e como meio auxiliar de estudo. (Veja o exemplo do "Sumário dos ensinamentos", na página 160.) Em sua apresentação das quatro nobres verdades, Trungpa Rinpoche fornece um vínculo entre tais apresentações tradicionais e a nossa própria experiência do caminho. Ele apresenta a possibilidade de desvelar progressivamente percepções mais sutis sobre a natureza da mente e da experiência, e nos dá as ferramentas para sermos capazes de comunicar essas percepções a outras pessoas.

Em sua apresentação das quatro nobres verdades, Chögyam Trungpa se refere frequentemente aos ensinamentos de Jamgön Kongtrül (1813-1900), renomado mestre, erudito e escritor do budismo tibetano, e fundador do movimento Ri-me, ou "não sectário". Jamgön Kongtrül foi autor de mais de cem livros, e o mais conhecido deles é *Cinco Tesouros*,* obra abrangente que cobre todo o espectro do budismo tibetano. Como muitos professores tibetanos, Trungpa Rinpoche carregava consigo uma edição compacta dessa obra monumental e a consultava repetidamente.

Os ensinamentos das quatro nobres verdades são ao mesmo tempo antigos e atuais para os tempos presentes. Eles têm sido transmitidos de mestre a aluno há séculos e, no entanto, podem ser

---

* Trata-se de *Five Treasuries of Knowledge*, ou *Os Cinco Tesouros do Conhecimento*, de Lodro Thaye, o primeiro Jamgön Kongtrül, conhecido como "O Grande". (N. do T.)

aplicados a nossa própria experiência imediata. A cada momento, o padrão das quatro nobres verdades se repete: a verdade do sofrimento e da origem do sofrimento, e a verdade da libertação do sofrimento e do caminho da libertação. Portanto, a cada momento temos uma escolha: podemos continuar perpetuando nosso sofrimento ou podemos interromper esse padrão em sua origem e alcançar um lampejo da liberação.

Os ensinamentos das quatro nobres verdades estão alicerçados em nossas experiências comuns como seres humanos. É ao interagir com essas experiências, em vez de fugir delas, que podemos nos libertar. A mensagem radical do Buda é que a libertação potencial está sempre ao alcance e depende de nós — e de nenhuma outra pessoa — o que fazemos com isso.

Que os ensinamentos das quatro nobres verdades sejam benéficos a todos os seres que sofrem e anseiam pela libertação. Que o legado de Chögyam Trungpa Rinpoche continue a estender-se, iluminando o caminho do Buda, o caminho da meditação e o poder da compreensão e da prática budista para lidar com os desafios da vida cotidiana na sociedade contemporânea.

— Judith L. Lief

AGRADECIMENTOS DA EDITORA

Gostaria de agradecer aos inúmeros estudantes cujos esforços tornaram possível a criação deste manual sobre as quatro nobres verdades. Muitas pessoas envolveram-se na gravação, transcrição, preservação, edição e produção desses ensinamentos preciosos. Esses estudantes dedicados trabalharam anônima, diligente e humildemente em muitas outras tarefas essenciais a esta obra, simplesmente por sua própria inspiração e devoção.

Carolyn Rose Gimian ofereceu seu contínuo e sábio assessoramento e apoio. Ellen Kearney forneceu ajuda inestimável durante o processo de edição, trabalhando extremamente próxima de mim em uma série de retiros editoriais, aplicando suas habilidades na revisão e oferecendo excelentes informações. Agradeço a Ben Moore, diretor da Vajradhatu Publications, por seu apoio entusiástico. Gordon Kidd, Helen Bonzi e a equipe de apoio de Shambhala Recordings e de Shambhala Archives forneceram as fontes bibliográficas necessárias. Agradeço imensamente a John Rockwell por oferecer seus valiosos comentários e, em particular, por suas traduções informais de seções essenciais de *Os Cinco Tesouros do Conhecimento*. Agradecimentos especiais a Scott Wellenbach, da Nālandā Translation Committee, que revisou cuidadosamente a terminologia técnica e auxiliou na resolução de muitos assuntos editorialmente desafiadores. Muito obrigada a Eden Steinberg, da

Shambhala Publications, por sua criteriosa análise crítica. Lady Diana Mukpo bondosamente deu sua bênção e encorajamento a este projeto. Samuel Bercholz, fundador da Shambhala Publications, foi um catalisador consistente, fazendo com que o projeto do texto original fosse adiante.

Empreendimentos como este requerem o apoio generoso de doadores. Somos gratos ao apoio do Shambhala Trust e às doações anônimas que recebemos e que auxiliaram este trabalho valioso.

Muito especialmente, gostaríamos de agradecer ao Vidyadhara, Chögyam Trungpa Rinpoche, que em seus dezessete anos na América do Norte generosa e resolutamente se dedicou a trazer o verdadeiro dharma para o mundo ocidental.

Que os ensinamentos e as práticas que ele tão cuidadosamente apresentou sejam estudados, praticados, realizados e transmitidos às futuras gerações. Que possam beneficiar incontáveis seres e libertar aqueles que sofrem cruel e inutilmente. Que possamos cultivar a sabedoria, a compaixão e a habilidade para manifestá-las na ação.

O primeiro giro da roda do dharma

Dizem que, depois de sua iluminação, o Buda ministrou seus primeiros ensinamentos no parque dos Cervos, no lugar conhecido como Sarnath, perto de Varanasi, na Índia. Foi lá que ele apresentou pela primeira vez o nobre caminho óctuplo e as quatro nobres verdades. Referimo-nos a isso como primeiro giro da roda do dharma.

Irmãos, há quatro nobres verdades: a existência do sofrimento, a causa do sofrimento, a cessação do sofrimento e o caminho que conduz à cessação do sofrimento. Chamo a essas de as Quatro Nobres Verdades. A primeira é a existência do sofrimento. Nascimento, velhice, doença e morte são sofrimento. Tristeza, ira, inveja, preocupação, ansiedade, medo e desespero são sofrimento. A separação dos entes amados é sofrimento. Associar-se com aqueles que você odeia é sofrimento. Desejo, apego e aferrar-se aos cinco agregados são sofrimento.

Irmãos, a segunda nobre verdade é a causa do sofrimento. Devido à ignorância, as pessoas não podem ver a verdade sobre a vida e ficam prisioneiras das chamas do desejo, da ira, da inveja, da tristeza, da preocupação, do medo e do desespero.

Irmãos, a terceira nobre verdade é a cessação do sofrimento. Entender a verdade da vida ocasiona a cessação de toda a tristeza e ansiedade e faz com que surjam a paz e a alegria.

Irmãos, a quarta nobre verdade é o caminho que conduz à cessação do sofrimento. É o nobre caminho óctuplo que acabei de explicar. O nobre caminho óctuplo é alimentado quando vivemos com atenção plena. A atenção plena conduz à concentração e à compreensão que nos livra de todas as dores e tristezas e nos conduz à paz e à alegria. Vou guiá-los por este caminho de realização.*

---

* Extraído de *Old Path White Clouds* [Antigo Caminho, Nuvens Brancas], de Thich Nhat Hanh.

As 4 Nobres Verdades do Budismo e o Caminho da Libertação

Introdução

Nascemos como seres humanos, estamos bem conscientes disso, e temos de manter-nos em nossa humanidade e com ela prosseguir. Fazemos isso ao respirar, de modo que nosso corpo tenha a circulação e a pulsação necessárias para sobreviver. Fazemos isso ao alimentar-nos de alimentos como combustíveis e ao vestir roupas que nos protegem das intempéries. Mas não conseguimos nos manter tão somente dessa maneira, apenas comendo, vestindo roupas e dormindo, para acordar com a luz do dia e coletar mais alimentos para comer. Há algo mais acontecendo além desse nível: emocionalmente, sentimos que necessitamos aceitar e rejeitar.

Às vezes sentimo-nos muito sós e às vezes sentimo-nos claustrofóbicos. Quando nos sentimos solitários, procuramos companheiros, amigos e pessoas amadas. Mas quando temos pessoas demais, ficamos claustrofóbicos e rejeitamos algumas delas. Às vezes nos sentimos bem. Tudo transcorreu de maneira ideal para nós. Temos companhia, temos roupas para manter-nos aquecidos, temos alimento em nosso estômago, temos líquido suficiente para beber e não ficar com sede. Sentimo-nos satisfeitos. Mas qualquer dessas satisfações pode faltar. Podemos ter companheiros, mas não uma boa refeição; podemos ter uma boa refeição, mas não companheiros. Às vezes temos boa comida, mas estamos com sede. Às vezes estamos felizes com algo, mas infelizes com outras coisas. É muito difícil manter junta a miríade de coisas sem fim que surgem e desaparecem. É muito difícil. Manter tudo em um nível ideal não é algo fácil de controlar, é um projeto e tanto para empreender. É quase impossível conservar uma sensação equilibrada de felicidade.

Mesmo que algumas de nossas demandas sejam satisfeitas, ainda sentimos ansiedade. Pensamos: "Neste momento meu estômago está cheio de comida, mas onde vou conseguir minha próxima refeição quando meu estômago estiver vazio e eu sentir fome?" "Agora estou bem, mas, da próxima vez que tiver sede, onde vou conseguir uma gota de água?" "Neste momento estou completamente agasalhado e sinto-me confortável, mas, para garantir-me caso faça calor ou frio, o que devo fazer?" "Neste instante, estou bem acompanhado, mas, caso essas pessoas não me acompanhem mais, onde encontrarei mais companheiros? O que fazer se a pessoa que no momento presente me faz companhia decidir me deixar?"

Há todo tipo de quebra-cabeças na vida, e as peças não se encaixam perfeitamente. Mesmo se elas encaixassem — o que é altamente improvável, uma probabilidade de um em 1 milhão, ou menos —, você ainda estaria ansioso, pensando: "Supondo que algo dê errado, e depois?". Então, quando você está bem e se sente bem com a vida, você fica até mesmo mais ansioso, porque pode ser que isso não continue. E muitas vezes você se sente traído pela vida, porque não consegue facilmente sincronizar milhares de coisas ao mesmo tempo. Portanto, a dor e o sofrimento naturais e automáticos existem. Não é como uma dor de cabeça ou a dor que você sente quando alguém o golpeia nas costelas — é ansiedade, que é uma situação muito perturbadora.

As pessoas podem dizer: "Tenho tudo em ordem, e estou bem satisfeito como estou. Não tenho de procurar nada que me deixe mais confortável". Não obstante, as pessoas estão sempre tomadas pela ansiedade. Além de um simples gesto, a maneira como ficamos olhando para a parede ou para as montanhas ou para o céu, a maneira como nos coçamos, como sorrimos timidamente, como crispamos o rosto diante de tudo — são todos sinais de ansiedade. A conclusão é que todos somos neuróticos, que a neurose cria desconforto e ansiedade, e que a ansiedade básica está ocorrendo o tempo todo.

A fim de corrigir essa ansiedade básica, criamos situações desagradáveis e opressivas. Geramos agressão intensa; geramos paixão intensa; geramos orgulho intenso. Geramos o que se conhece como *kleshas* — emoções conflitantes ou confusas —, que desviam a atenção de nossa ansiedade básica e ao mesmo tempo a exageram. Fazemos todo tipo de coisas por causa dessa ansiedade básica, e com isso começamos a nos encontrar em dificuldade e ansiedade maiores. Por expressarmos nossa agressão e luxúria, terminamos por nos sentir mal; e não só nos sentimos mal, mas nos sentimos mais ansiosos. Esse padrão ocorre o tempo todo. Estamos em um estado de ansiedade, e cada vez que tentamos fazer com que nos sintamos melhor, sentimo-nos pior. Podemos sentir-nos melhor momentaneamente, se partimos para o ataque usando nosso talento ou estilo habitual; mas então há um desapontamento muito grande e uma tremenda mágoa. Nós nos sentimos estranhos diante isso; na realidade, sentimo-nos infelizes. Não apenas isso, mas fazemos com que outros também se sintam infelizes. Não podemos apenas aplicar a nós mesmos a paixão, a agressão e a ignorância; fazemos isso também com outros, e alguém sempre acaba ferido. Então, em vez de termos somente nossa própria ansiedade, produzimos, além disso, um estado de ansiedade sobre os outros. Geramos a ansiedade deles, e estes também a geram eles próprios; e acabamos com o que se conhece como "o círculo vicioso do samsara". Todo mundo está constantemente fazendo com que todos os demais se sintam mal.

Há muito tempo vimos participando desse projeto enorme, dessa infelicidade constante, desse terrível e danoso equívoco — e ainda estamos fazendo isso. A despeito das consequências, a despeito das mensagens que chegam até nós, ainda fazemos isso. Às vezes com descaramento, como se nada tivesse acontecido. Criamos o samsara como uma enorme burla — dor e desgraça para todo mundo, incluindo a nós próprios —, mas ainda nos saímos disso como se fôssemos inocentes. Chamamos uns aos outros de senhoras e senhores, e dizemos: "Nunca cometi nenhum pecado ou criei nenhum problema. Sou apenas uma pessoa de idade, comum, blá-blá-blá". Essa bola de neve de burlas e o tipo de existência que nossas burlas criam são chocantes.

Você poderia se perguntar: "Se todos estão envolvidos nesse mesmo esquema ou projeto especial, então quem vê nisso algum tipo de problema? Não poderiam todos simplesmente aderir, para não termos de ver-nos uns aos outros dessa maneira? Então poderíamos apenas apreciar-nos, e apreciar nossa bola de neve de neuroses, e não haveria nenhum tipo de ponto de referência fora disso". Afortunadamente — ou talvez desafortunadamente —, uma pessoa percebeu que havia um problema. Essa pessoa ficou conhecida como o Buda. Ele viu que havia um problema, trabalhou sobre ele e conseguiu superá-lo. Ele entendeu que o problema poderia ser diminuído — não apenas diminuído, mas reduzido a completamente nada, porque descobriu como prevenir o problema diretamente na fonte. Diretamente no começo, a cessação é possível.

A cessação é possível. Não somente para o Buda, mas também para nós. Estamos tentando seguir seu caminho, sua abordagem. Nos 2600 anos desde o tempo do Buda, milhões de pessoas seguiram seu exemplo, e elas foram muito bem-sucedidas no que fizeram: conseguiram tornar-se como ele. Os ensinamentos do Buda têm sido transmitidos de geração a geração, de modo que, exatamente aqui e agora, temos essa informação e experiência. Podemos praticar o caminho da meditação da mesma maneira que o Buda e os ancestrais de nossa linhagem, no mesmo estilo deles. Recebemos a transmissão da maneira de praticar para superar a ansiedade, o engano e a neurose. Nós podemos fazer isso.

A PRIMEIRA NOBRE VERDADE

A verdade do sofrimento

A verdade do sofrimento deveria ser vista

Capítulo 1

Reconhecimento da realidade do sofrimento

Ver nossa dor como ela é, ajuda muitíssimo. Comumente, estamos de tal forma enredados que nem mesmo a vemos. Estamos nadando em um oceano de água gelada de ansiedade e nem mesmo percebemos que estamos sofrendo. Essa é a estupidez mais fundamental. Os budistas compreenderam que estamos sofrendo, que a ansiedade está ocorrendo. Por causa disso, também começamos a dar-nos conta da possibilidade de salvação ou de libertação daquela dor e ansiedade específicas.

A realidade da dor ou do sofrimento é um dos princípios fundamentais do hinayana, os ensinamentos fundamentais do budismo. O sofrimento e a dor existem — na verdade, alguém tem de dizer isso. Não estamos conversando por educação; é uma conversa séria: a dor existe. Todavia, a menos que tenhamos uma compreensão da dor e a aceitemos, não poderemos transcender essa dor. O termo sânscrito para "sofrimento" é *duhkha*, que também tem o sentido de "ansiedade". Damo-nos conta de que, ao longo de nossa vida, vimos lutando. Lutamos porque, em nosso ser, sentimos que somos o que somos e não podemos mudar. Estamos ansiosos, constantemente. Por quê? Ninguém sabe! Somente porque temos em nós a bondade fundamental, ou sanidade inata, sentimos a contrapartida disso, que é o desconforto, a ansiedade e a confusão. A fim de tirar uma foto, necessitamos não apenas da luz, mas também da sombra.

A dor provém da ansiedade e a ansiedade vem da neurose. A palavra em sânscrito para "neurose" é *klesha*, e em tibetano é *nyönmong*.[1] *Nyön* quer dizer "abafamento". Uma grande quantidade de abafamento leva-nos à neurose — é neurose, de fato. Em tudo o que fazemos, experimentamos nyönmong: quando nos coçamos, é nyönmong; quando comemos nosso alimento, é nyönmong; quando nos sentamos no vaso sanitário, é nyönmong; e quando sorrimos para alguém, é nyönmong.

Como vivenciamos continuamente um senso de estranhamento e sanidade em nossa vida cotidiana, começamos a sentir que estamos sendo enganados. Se somos teístas, ficamos com raiva de Deus, pensando que Ele nos ludibriou; se somos não teístas, culpamos o karma. Em qualquer caso, sentimos que fomos enganados por alguém, em algum lugar. Então começamos a ficar ressentidos e cheios de dúvida, e achamos que sentar em nossa almofada de meditação é penoso.

Não há alívio ou relaxamento quando estamos no mundo samsárico; há sempre algum tipo de luta acontecendo. Mesmo quando estamos supostamente gozando a vida, ainda há luta e todo tipo de desconforto. Podemos tentar resolver o problema indo a um restaurante ou ao cinema, ou desfrutando da companhia de nossos amigos; não obstante, nada realmente ajuda. É a isso que chamamos a primeira nobre verdade, a verdade do sofrimento. Aparentemente, estamos aprisionados, sem esperança e sem saída. Uma vez nessa situação, *sempre* estaremos nessa situação: estamos o tempo todo com dor. Os ensinamentos do Buda não nos dizem como nos livrar dessa dor ou como abandoná-la; dizem apenas que temos de entender nosso estado de ser. Quanto mais o entendermos, mais entenderemos por que estamos com dor. O que descobrimos é que, quanto mais estivermos voltados para nós mesmos, mais sofreremos, e, quanto menos estivermos voltados para nós mesmos, menos sofreremos.

Visto que desejamos curar nossa ansiedade, estamos sempre buscando prazeres potenciais, mas essa busca é em si mesma penosa. Sempre que procuramos prazer, é um prazer sempre penoso. Sem exceção, o resultado final é completamente doloroso. Essa busca do prazer é a lógica ilógica, ou má lógica, da existência samsárica. Suponha que você fique rico, milionário — junto com isso terá a ansiedade de perder seu dinheiro, então, como milionário, estará até mesmo mais ansioso. Situações como essa acontecem o tempo todo.

Encarar o prazer do ponto de vista da dor é uma espécie de instinto animal. É o instinto dos reinos inferiores que existe na situação humana.[2] Sem o ponto de referência da dor, parece que não temos prazer em coisa alguma. Por exemplo, podemos ter comprado uma garrafa de vinho por 3 mil dólares. De uma maneira muito penosa, gastamos 3 mil dólares na garrafa de vinho. Dizemos: "Esse é um vinho envelhecido de excelente qualidade. Paguei todo esse dinheiro por ele. Agora, vamos aproveitar e ter um ótimo momento!". Mas, em vez disso, a ocasião torna-se penosa. Ficamos preocupados: "E se alguém não gostar do vinho?". Chamamos a isso "o samsara do novo-rico". Samsara é coisa de novo-rico — é loucura e estupidez, sem dignidade nenhuma, e continua acontecendo o tempo todo.

A menos que entendamos os fatos da vida, não podemos começar a praticar o dharma. Estar fazendo calor é o que nos permite ter prazer em nadar; estar frio é o que nos permite usar bonitas roupas de lã. Essas contradições são naturais; não há nada de extraordinário nelas. Fundamentalmente, estamos com dor, estamos sofrendo. Algumas vezes nos acostumamos a nosso sofrimento e outras vezes sentimos falta dele, então, deliberadamente pedimos mais sofrimento. Essa é a maneira samsárica de viver.

O caminho budista começa com o hinayana, ao qual, na jornada dos três yanas (ou três veículos), poderíamos nos referir como o "veículo menor", ou o "veículo imediato". O hinayana é muito prático, muito pragmático. Começa com a verdade do sofrimento; todos nós sofremos. Redescobrimos repetidamente esse sofrimento ou ansiedade. Na prática da meditação sentada, essa ansiedade pode assumir a forma de querer deslizar para um nível mais elevado de prática, usando a meditação como uma espécie de goma de mascar transcendental. Na vida cotidiana, podemos encontrar essa ansiedade samsárica na vizinhança e no que está próximo de nós; ela pode estar relacionada aos nossos parentes, aos nossos melhores amigos, ao nosso emprego ou ao nosso mundo. A ansiedade sempre estará lá, não importa para qual lado olhemos. É essa ansiedade pessoal que nos impede de lavar os pratos; é ela que nos impede de dobrar corretamente as camisas ou de pentear o cabelo. A ansiedade impede que tenhamos uma vida decente, em termos gerais: somos constantemente distraídos e molestados por ela. Quer esses incômodos sejam sociológicos, científicos, domésticos ou econômicos, uma ansiedade assim é muito penosa e está sempre presente.

Cada dia parece ser diferente; não obstante, cada dia parece ser exatamente o mesmo no que diz respeito à ansiedade. A ansiedade básica ocorre em nossa vida diária o tempo todo. Quando acordamos e olhamos ao nosso redor, podemos pensar no café ou na comida ou em tomar uma ducha; mas, no momento em que tivermos tomado um café ou feito o desjejum, nós nos daremos conta de que a ansiedade ainda estará lá. De fato, a ansiedade estará sempre lá, rondando e atormentando, por toda a vida. Mesmo que sejamos extremamente bem-sucedidos, em qualquer atividade que seja, ou uma pessoa de sucesso, como se costuma dizer, estaremos sempre ansiosos a respeito de uma ou outra coisa. Não é algo que se possa tocar, mas estará sempre lá.

Ver nossa dor como ela é, ajuda muitíssimo. Comumente, estamos de tal forma enredados que nem mesmo a vemos. Nadamos em um oceano de água gelada de ansiedade e nem mesmo percebemos que estamos sofrendo. Essa é a estupidez mais fundamental. Os budistas compreenderam que estamos sofrendo, que a ansiedade está ocorrendo. Entendemos que a ansiedade existe e, por causa disso, também começamos a dar-nos conta da possibilidade da salvação ou de libertação dessa dor e ansiedade específicas.

De acordo com os ensinamentos hinayana, temos de ser muito práticos: faremos algo em relação ao sofrimento. Em um nível muito pessoal, faremos alguma coisa a respeito disso. Para começar, poderíamos renunciar a nosso esquema do que idealmente desejamos na vida. Prazer, divertimento, felicidade — poderíamos abrir mão completamente de todas essas possibilidades. Em seguida, poderíamos tentar ser bons com os outros, ou pelo menos parar de molestá-los. Nossa existência pode ser causa de dor para alguém — poderíamos deixar de ser a causa dessa dor. Quanto a julgarmos confortáveis a ansiedade e o desejo, deveríamos nos assegurar de que questionaremos essa maneira de ver. Ao fazer isso, há espaço para o humor. À medida que começamos a perceber o tipo de comunicação que persiste entre a dor e o prazer, começamos a rir. Se temos prazer demais, não podemos rir; se temos dor demais, não podemos rir; mas, quando estamos no limiar entre os dois, a dor e o prazer, rimos. É como riscar um fósforo.

O ponto principal da primeira nobre verdade é reconhecer que temos essa ansiedade em nosso ser. Poderíamos ser um grande erudito e conhecer o caminho budista de alto a baixo, incluindo toda a terminologia — mas nós mesmos ainda estamos sofrendo. Ainda experimentamos uma ansiedade básica. Investigue isso! Neste ponto, não estamos falando de um antídoto ou sobre como superar essa ansiedade — a primeira coisa é simplesmente ver que estamos ansiosos. Por um lado, isso é como ensinar sua avó a chupar ovos, como dizem os britânicos, ou como ensinar um pássaro a voar; por outro lado, temos realmente de entender o samsara. Estamos no samsara e precisamos realmente ter consciência disso.

Antes de aprender o que vem a ser o samsara, não fazíamos ideia de onde nos encontrávamos; estávamos tão absortos nisso que não tínhamos nenhum ponto de referência. Agora que estamos fornecendo um ponto de referência, vejamos o que estamos fazendo. Vejamos onde estamos e o que estamos fazendo. Essa é uma mensagem muito importante. É o início da melhor mensagem iluminada que jamais poderia ocorrer. No nível do *vajrayana*, poderíamos falar sobre a não dualidade do samsara e do nirvana, ou do estado fundamental desperto, ou do lampejo da libertação instantânea — mas qualquer coisa que digamos está concentrada nesta mensagem muito, muito comum: temos de reavaliar onde estamos. Pode ser um tanto deprimente perceber isto: que estamos tão completamente embebidos dessa coisa engordurada, pesada, escura e desagradável chamada samsara, mas essa percepção é tremendamente útil. Somente essa compreensão é a fonte para alcançar o que chamamos de buda na palma de sua mão — a condição desperta que já temos em seu poder. Tais possibilidades do vajrayana começam neste ponto, precisamente aqui, ao percebermos nossa ansiedade samsárica. Entender essa ansiedade, que é muito frustrante e algo não tão bom assim, é a chave para tomarmos consciência de quem somos.

A única maneira de trabalhar essa ansiedade é por meio da prática da meditação, domar a mente, praticar o *shamatha*. Essa é a ideia básica do *pratimoksha*, ou "libertação individual": domar a si mesmo. A maneira de domar a si mesmo, ou interpor um obstáculo a essa ansiedade particular, é pela prática concentrada da disciplina do shamatha. O início do caminho do dharma do Buda trata de como podemos verdadeiramente nos salvar da neurose samsárica. Temos de ser muito cuidadosos; ainda não estamos prontos para salvar os outros.

Ao praticar o dharma do Buda, não podemos cortar caminho, deixar nada de lado. Devemos começar com o hinayana e a primeira nobre verdade. Tendo feito isso, o mahayana e o vajrayana se seguirão naturalmente. Temos de ser pais verdadeiros; em vez de adotar uma criança de 6 anos porque queremos ser mãe ou pai de alguém já crescido, preferimos conceber nossa criança dentro de nosso casamento. Gostaríamos de assistir ao nascimento da criança e a seu crescimento, de maneira que finalmente tenhamos uma criança competente e boa por causa da educação que demos a ela.

A progressão do hinayana ao mahayana e ao vajrayana foi bem ensinada pelo Buda e pela linhagem. Se não tivermos o alicerce básico do hinayana, não entenderemos os ensinamentos do mahayana sobre a benevolência e a bondade amorosa. Não saberemos quem está sendo benevolente e para quê. Primeiro temos de experimentar a realidade, as coisas como elas são. É como pintar. Primeiro, é preciso ter uma tela; após ter preparado a tela da maneira apropriada, podemos pintar sobre ela — mas isso leva algum tempo. O vajrayana é considerado o produto final do melhor começo; portanto, entender o hinayana e praticar a disciplina do shamatha é algo muito importante e forte. Temos de continuar com o que temos — o fato de nosso corpo, fala e mente estarem sofrendo. A realidade é que todos nós estamos aprisionados na neurose samsárica, todos, sem exceção. É melhor trabalhar com a realidade do que com idealizações. Esse é um bom lugar para começar.

Capítulo 2

Dissecação da experiência do sofrimento

A primeira nobre verdade, a verdade do sofrimento, é o primeiro insight *verdadeiro do praticante do hinayana. É absolutamente maravilhoso que, assim, esse praticante tenha, efetivamente, a determinação, coragem e clareza para ver a dor dessa maneira tão precisa e sutil. Podemos realmente dividir a dor em partes e dissecá-la. Podemos vê-la tal como ela é, e isso é uma vitória. É por isso que a chamamos verdade do sofrimento.*

O caminho do dharma consiste de qualidades e consequências. Na disciplina budista não teísta, sempre trabalhamos com o que temos aqui. Investigamos nossa própria experiência: como nos sentimos, quem e o que somos. Ao fazer isso, descobrimos que nossa existência básica é fundamentalmente desperta e possível; mas, ao mesmo tempo, há muitos obstáculos. Os obstáculos principais são o ego e seus padrões habituais, que se manifestam de todas as maneiras, de forma mais vívida e visível na experiência que temos de nós mesmos. Entretanto, antes de investigar mais profundamente quem e o que somos, precisamos examinar primeiro nossa noção fundamental de "self". Isso é também conhecido como o estudo das quatro nobres verdades: a verdade do sofrimento, a verdade da origem do sofrimento, a verdade da cessação do sofrimento e a verdade do caminho.

As quatro nobres verdades são divididas em duas partes. As duas primeiras verdades — a verdade do sofrimento e a da origem do sofrimento — são estudos da versão samsárica de nós mesmos e as razões pelas quais chegamos a certas situações ou chegamos a certas conclusões particulares sobre nós mesmos. As duas últimas — a verdade da cessação e a verdade do caminho — são estudos de como poderíamos ir além ou superar isso. Elas estão relacionadas com a jornada e com a potencialidade do nirvana, da liberdade e da emancipação. O sofrimento é considerado o resultado do samsara, e a origem do sofrimento, a causa do samsara. O caminho é considerado a causa do nirvana, e a cessação do sofrimento é seu resultado. Nesse sentido, o samsara significa a agonia contínua, e o nirvana significa transcender a agonia e problemas como o aturdimento, a insatisfação e a ansiedade.

A primeira nobre verdade é a verdade do sofrimento. A palavra sânscrita para sofrimento é *duhkha. Duhkha* poderia também ser traduzido como "ansiedade", "inquietação", "desassossego". É frustração. A palavra tibetana para sofrimento é *dug-ngal. Dug* quer dizer "reduzido a um nível inferior" — "desventura" talvez seja a palavra mais próxima —, e *ngal* significa "perpetuar"; assim, *dug-ngal* tem o sentido de perpetuar essa desventura. A qualidade do dug-ngal é que já executamos um trabalho malfeito e fazemos com que se desenvolva mais, perpetuando-o. É como enfiar o dedo na ferida. Não *precisamos* sofrer mais do que o usual, mas é dessa maneira que tocamos a vida. Começamos pela extremidade errada do bastão e assim obtemos sofrimento — e isso é terrível! Fazer isso não é uma coisa muito inteligente.

Podemos nos perguntar: "Quem tem autoridade para dizer isso?". Para nós a única autoridade com a perspectiva completa de tudo é o Buda. Ele descobriu isso; por esse motivo é chamada de primeira nobre verdade. É muito nobre e muito verdadeira. Ele verdadeiramente compreendeu por que nos empenhamos em continuar nosso trabalho malfeito, e chamou nossa atenção para isso, o que veio a ser a segunda nobre verdade. Começamos a entender isso e concordamos com ele, porque temos a experiência de que há uma alternativa. Há a possibilidade de adotarmos outra abordagem completamente diferente. Podemos salvar-nos dessa ansiedade e dor. Não só isso é possível, mas foi experimentado e levado a cabo por muitíssimas outras pessoas.

A primeira nobre verdade, a verdade do sofrimento, é um tema necessário e fascinante. A verdade do sofrimento é dolorosamente bastante real e direta — e, surpreendentemente, muito cheia de humor. Para que entendamos quem somos e o que estamos fazendo conosco, é absolutamente necessário que nos conscientizemos de quanto nos torturamos. O processo de tortura que impomos a nós mesmos é um padrão habitual, ou um instinto simiesco. Até certo ponto é algo dependente de nossas vidas anteriores, ou por elas produzido; e, ao mesmo tempo, somos nós que damos sustentação a esse processo e lançamos mais sementes kármicas. É como se estivéssemos em uma nave já em pleno voo, mas a bordo começássemos a planejar o que vem a seguir. Gostaríamos de fazer uma reserva e comprar a próxima passagem aérea, de modo que, tão logo cheguemos ao nosso destino, possamos imediatamente decolar rumo a outro lugar qualquer. Ao nos organizarmos dessa maneira, efetivamente não precisamos mais parar em lugar nenhum. Estamos constantemente comprando passagens em todos os lugares e, consequentemente, estamos viajando o tempo todo. Não temos lugar nenhum para parar e não queremos especialmente parar. Mesmo se paramos em um hotel próximo ao aeroporto, nossa tendência imediata é a de nos inquietarmos e querermos voar novamente. Então telefonamos para a recepção e pedimos para reservar uma passagem para algum outro lugar. Fazemos isso constantemente, e essa viagem começa a produzir muita dor e um tremendo sofrimento.

No que diz respeito à noção de *self*, não somos verdadeiramente uma entidade individual em si mesma, e sim apenas uma coleção do que é conhecido como os cinco *skandhas*, ou cinco agregados de ser (forma, sensação, percepção-impulso, conceito e consciência). No interior dessa coleção, cada evento mental que ocorre é causado por um anterior; assim, se temos um pensamento, ele foi produzido por um pensamento anterior. De maneira semelhante, se estamos em um lugar em particular, fomos forçados a lá estar por uma experiência anterior; e, enquanto estivermos lá, produziremos mais eventos mentais, o que perpetua nossa viagem rumo ao futuro. Tentamos produzir a continuidade. Isso é o que se conhece como karma ou ação volitiva; e das ações volitivas surge o sofrimento.

A primeira nobre verdade, a verdade do sofrimento, é o primeiro *insight* verdadeiro do praticante do hinayana. É absolutamente maravilhoso que, assim, esse praticante tenha, efetivamente, a determinação, coragem e clareza para ver a dor dessa maneira tão precisa e sutil. Podemos realmente dividir a dor em partes e dissecá-la. Podemos vê-la tal como ela é, e isso é uma vitória. Se estivéssemos aprisionados em nossa dor, não teríamos como falar a respeito dela. Contudo, ao contar sua história, não a estamos perpetuando. Em vez disso, temos a oportunidade de saber tudo a respeito do sofrimento. Isso é muito bom.

Os oito tipos de sofrimento

Juntos, temos oito tipos de sofrimento: nascimento, velhice, doença, morte, encontrar o que não é desejável, não ser capaz de conservar o que é desejável, não conseguir o que se deseja e ansiedade geral. Seja sutil ou grosseira, toda dor se enquadra em uma dessas oito categorias. As quatro primeiras — nascimento, velhice, doença e morte — baseiam-se no resultado do karma anterior; portanto, são chamadas de "sofrimento herdado". Essas quatro categorias de sofrimento são simplesmente os inconvenientes em que estamos envolvidos por estarmos vivos. Às três seguintes — encontrar o que não é desejável, não ser capaz de manter o que é desejável e não conseguir o que se deseja — nós nos referimos como "o sofrimento do período entre o nascimento e a morte"; e o último, esse é simplesmente chamado de "ansiedade geral".

Sofrimento herdado

1. NASCIMENTO. Primeiro há a dor do nascimento. Quando uma criança nasce, celebramos sua chegada ao mundo; mas, ao mesmo tempo, essa criança passou por muitas dificuldades. É penoso nascer — ser empurrado e puxado para fora. O primeiro sofrimento, aquele do nascimento, pode não parecer válido, já que ninguém se lembra de seu nascimento. Pode parecer simplesmente um conceito segundo o qual houve um tempo em que estávamos no útero de nossa mãe e nos sentíamos muito confortáveis, nadando em leite morno e mel, chupando o polegar ou fazendo qualquer outra coisa. Convenientemente podemos ter nos esquecido de nosso nascimento. Mas a ideia é que lá havia um sentimento de satisfação, e depois fomos violentamente expulsos e tivemos de dar uma espécie de salto, que deve ter sido penoso.

Embora possamos ter nos esquecido de nosso nascimento, na verdade nos lembramos, ou observamos uma criança experimentando a dor do nascimento e percebemos que isso é muito literal, comum e bastante assustador. Ao nascer, sentimos a primeira sujeição ao mundo, que consiste de calor, frio e todo tipo de desconforto. O mundo começa a tentar nos despertar, tenta fazer de nós pessoas crescidas, mas como crianças nosso sentimento não é esse: é o de uma luta tremenda. A única coisa que podemos fazer é chorar e enfurecer-nos, ressentidos com o incômodo. Como ainda não sabemos falar, não podemos nos explicar; há uma sensação de ignorância e inadequação.

Em sentido mais amplo, a dor do nascimento está baseada em nossa resistência a relacionar-nos com as novas demandas que são feitas pelo mundo. Embora se refira, antes de tudo, ao nascimento físico, ou à dor associada ao nascer, a dor do nascimento poderia também aplicar-se a nossa vida comum como adultos. Ou seja, estamos sempre tentando nos acomodar a uma situação na qual pensamos que o sucesso finalmente está garantido. Planejamos tudo até os mínimos detalhes e não desejamos modificar nosso projeto. Exatamente como um bebê que se acomoda no útero da mãe, não pensamos jamais que teremos de sair um dia: não queremos lidar com a dificuldade irritante de ter de nascer.

Esse tipo de nascimento acontece o tempo todo. Em nossos relacionamentos, decidimos como lidar com os amigos e com as pessoas que amamos; economicamente, sentimos que alcançamos um ponto confortável: somos capazes de comprar uma casa confortável, completa, com lava-louça, geladeira, telefone, ar-condicionado e o que mais quisermos. Sentíamos que poderíamos ficar nesse útero por muito tempo; mas então aparece alguém, vindo não se sabe de onde, e sem nenhuma culpa nossa — ou talvez *seja* mesmo nossa culpa — puxa o nosso tapete. Todo o cuidadoso planejamento para tentar permanecer no útero é interrompido. Nesse ponto começamos a angustiar-nos, viramos para um lado e para o outro, falamos com nossos amigos, com o advogado, nosso conselheiro espiritual e o consultor financeiro. Nós nos agitamos freneticamente por toda parte, como se dez braços e vinte pernas tivessem brotado.

Não queremos nascer no próximo mundo mas, infelizmente, a situação é tal que *nascemos* no próximo mundo. Poderemos reservar para nós um espaço pequeno, um pequeno canto, mas esse pequeno canto causa tamanho incômodo que não nos satisfaz tanto assim. É penoso ser incapaz de estabilizar-nos numa situação. Pensamos que podemos nos estabelecer, mas somos expostos já no instante que desponta e outro nascimento nos é proporcionado. É exatamente como um bebê empurrado para fora do útero da mãe e exposto a outro mundo. Não somos capazes de assentar-nos. Essa é a verdade.

2. VELHICE. A segunda forma de sofrimento herdado é a dor da velhice. É muito inconveniente ser velho. Subitamente somos incapazes de fazer todo tipo de coisa, os céus sabem o quê. Também, quando velhos, sentimos que não temos mais tempo. Não ficamos mais aguardando ansiosamente situações futuras. Quando éramos jovens, podíamos ver todo mundo se desenvolvendo gradualmente, mas agora não nos divertimos mais observando os próximos sessenta anos.

A velhice não se refere apenas a ser velho; ela se refere a envelhecer, a uma pessoa que passa da infância à idade avançada. É o processo das coisas que em sua vida se modificam lentamente. Com o passar do tempo, há menos excitação, menos descobertas ou redescobertas do mundo. Continuamos tentando, mas as coisas tornam-se familiares, elas já foram experimentadas antes. Podemos pensar que deveríamos tentar pelo menos uma vez fazer algo chocante, assim também tentamos isso; mas nada realmente acontece. Não é tanto que algo esteja errado com nossa mente ou com nós próprios, e sim que algo está errado com o fato de ter um corpo humano que está ficando velho.

Um corpo velho é fisicamente incapaz de relacionar-se com as coisas de maneira adequada. Quando criança, exploramos como manipular os dedos, as pernas, os pés, a cabeça, os olhos, o nariz, a boca, as orelhas, as mãos. Mas, neste ponto, já exploramos todo o nosso sistema, qualquer coisa de que pudéssemos lançar mão para divertir-nos no nível corporal. Não há mais nada para explorar. Já sabemos que tipo de sabor sentiremos ao provar uma determinada coisa. Caso cheiremos algo, já sabemos exatamente qual o perfume. Já sabemos o que será visto, ouvido ou sentido.

À medida que ficamos mais velhos, as coisas não fornecem mais a diversão que tínhamos antes. Já experimentamos praticamente tudo o que existe em nosso mundo. Uma pessoa idosa recém-saída do Tibete poderá considerar interessante experimentar tomar uma sauna ou ir ao cinema ou assistir a programas na televisão, mas a novidade rapidamente se desgasta. Novos entretenimentos apresentados a pessoas mais velhas duram somente uns poucos dias, enquanto para pessoas em fase de crescimento elas podem durar alguns poucos anos. Foi muito bonito o dia em que nos apaixonamos por alguém pela primeira vez, mas não conseguimos ter aquela sensação de novo. O dia em que tomamos um sorvete pela primeira vez foi surpreendente, e a primeira vez que provamos xarope de bordo foi fantástica e ótima — mas já fizemos todas essas coisas.

Envelhecer é muito desagradável. Damo-nos conta de que colecionamos tantas coisas que parecemos uma velha lareira: todo tipo de coisa já passou por nós e juntamos uma imensa camada de fuligem. Estamos aborrecidos e não queremos ir mais adiante. Não pretendo insultar ninguém, mas isso é a velhice. E, embora algumas pessoas idosas de fato se mantenham muito bem, para isso necessitam de demasiado esforço.

O sofrimento de envelhecer poderia aplicar-se à experiência psicológica de envelhecer, assim como ao envelhecimento físico. No começo temos a sensação de que podemos fazer tudo o que queremos. Apreciamos nossa juventude, destreza, encanto pessoal e forma física, mas então começamos a descobrir que nossos velhos truques não funcionam mais. Começamos a decair, a desintegrar-nos. Não conseguimos ver, não conseguimos ouvir, não conseguimos caminhar, tampouco apreciar as coisas de que antes costumávamos desfrutar. Em outros tempos havia aquela boa sensação. Podíamos usufruir das coisas e algumas delas costumavam ser percebidas como maravilhosas. Mas, se tentamos repetir aquelas experiências agora, na velhice, a língua está menos sensível, a visão está menor, a audição está fraca — nossas percepções sensoriais não funcionam bem. A dor da velhice refere-se a essa experiência geral de decadência.

3. DOENÇA. A terceira forma de sofrimento herdado é a dor da doença. A doença é comum, tanto para os velhos como para os jovens. Há todo tipo de doenças físicas e semifísicas ou psicológicas. A doença em grande parte se baseia no pânico ocasional de que algo possa estar terrivelmente errado conosco ou que podemos morrer. Depende de quanto somos hipocondríacos. Há também doenças ocasionais pequenas e educadas. Poderíamos dizer: “Estou resfriado, mas tenho certeza de que vou ficar bom logo. Fora isso, estou bem, obrigado”. Mas as coisas não são tão tranquilas assim, tal como nos expressamos em uma conversa social. Há algo mais que acontece.

A doença é um desconforto: quando estamos verdadeiramente doentes, o corpo torna-se um obstáculo, a ponto de chegarmos a pensar em desistir de tudo. De modo especial, quando temos de ir para o hospital, sentimos que fomos empurrados para um mundo cheio de cacos de vidro e arame farpado. A atmosfera de "hospitalidade" nos hospitais é muito irritante. Não é uma experiência de conforto e leveza. Há um sentimento de estar indefeso. Um dos grandes temas do mundo ocidental é sermos ativos e capazes de ajudar-nos a nós próprios, sem depender de nada nem de ninguém, nem mesmo para amarrar o cordão dos sapatos. Por isso, há muito ressentimento diante dessa condição de vulnerabilidade.

Podemos vivenciar a enfermidade como um desconforto. Se não temos uma boa torrada no desjejum, isso é muito irritante. O sofrimento da doença inclui todo tipo de expectativas habituais que não são mais satisfeitas. No passado costumávamos ter as coisas que desejávamos, e agora isso acabou. Pensamos em conversar sobre isso com o médico, a fim de que possamos ter de volta nossos padrões habituais. Queremos que nossos próprios hábitos particulares tenham continuidade e não queremos abrir mão de nada, considerando que isso seria um sinal de fraqueza. Sentimo-nos ameaçados até mesmo quando não conseguimos ter nossa boa torrada com manteiga. Sentimos que puxaram o tapete debaixo de nossos pés e um pânico súbito acontece. Esse é um problema para o qual o mundo ocidental tem uma propensão especial, pois somos muito orientados para o prazer.

A enfermidade, embora seja amplamente baseada na dor e na falta de familiaridade, também está baseada no ressentimento. Ficamos ressentidos por não sermos entretidos; e, se formos lançados em uma situação inaceitável, tal como ir para a cadeia, ficamos ressentidos com as autoridades. Os primeiros sinais da morte também tendem a ocorrer na forma de doença. Quando estamos enfermos, sentimos um desalento físico com a vida, com todo tipo de queixas, dores e sofrimentos. Quando somos acometidos por uma enfermidade, começamos a sentir que cortaram nossas asas e não temos mais as belas penas que costumávamos ter. Tudo está fora de ordem. Nem mesmo conseguimos sorrir ou rir de nossas próprias piadas. Sentimo-nos completamente desmoralizados, vítimas de uma agressão.

4. MORTE. Por fim, mas não menos importante, temos a dor da morte. A morte é uma sensação de não ter nenhuma oportunidade de seguir adiante com a vida ou nossos empreendimentos — um sentido de ameaça total. Nem sequer podemos nos queixar: não existe uma autoridade à qual possamos nos queixar da morte. Diante dela, sofremos porque não podemos continuar o que desejamos fazer, ou terminar o trabalho que sentimos que deveríamos concluir. Há o potencial de uma desolação fundamental.

A morte exige que deixemos tudo o que amamos na vida, até mesmo nossa querida caneta esferográfica. Abandonamos todas essas coisas. Não podemos seguir com nossos pequenos padrões habituais; não podemos mais encontrar os amigos. Perdemos cada um dos pequenos itens que possuímos e tudo o que apreciamos, até mesmo as roupas que compramos, o pequeno tubo de pasta de dentes e o sabonete que gostamos de usar para lavar as mãos ou o rosto. Tudo aquilo de que pessoalmente gostamos, tudo aquilo cuja companhia apreciamos, tudo o que usufruímos na vida — cada uma dessas coisas desaparece completamente. Partimos e já não podemos tê-las mais. Portanto, a morte inclui a dor da separação.

Há um sentimento adicional de dor associado à morte, pelo fato de nos identificarmos tão completamente com o corpo. Podemos imaginar perder as pessoas com quem temos ligação — a esposa, o marido ou o amigo mais íntimo — e podemos imaginar que, quando perdermos esse melhor amigo, a esposa ou o marido, nos sentiremos completamente fora de nós. Podemos imaginar essas possibilidades acontecendo em nossa vida, mas conseguimos nos imaginar perdendo nosso próprio corpo? Quando morremos, não perdemos apenas a esposa, o marido ou o amigo, mas perdemos também o corpo. É terrível, absolutamente horripilante. Ninguém nos obriga a isso, somos nós mesmos que nos impomos isso. Poderíamos dizer: "Não cuidei do meu corpo. Não comi os alimentos certos e bebi demais. Fumei demais". Mas isso não resolve o problema.

É muito difícil dizer adeus para sempre ao nosso próprio corpo. Gostaríamos de conservá-lo intacto. Se temos uma cárie em um dente ou um corte no corpo, podemos ir ao dentista ou médico e consertar isso. No entanto, quando morremos, esse corpo já não existirá mais. Será enterrado ou cremado e reduzido a cinzas. Tudo desaparecerá e não teremos como nos identificar: não teremos mais cartões de crédito, nem cartões de visita ou carteira de motorista. Não teremos meios de nos identificar se depararmos com alguém que talvez conheçamos.

Na morte abandonamos tudo o que desejamos, tudo a que atribuíamos tanto valor, que possuíamos e a que nos apegávamos — incluindo o dharma, possivelmente. É questionável se teremos lembranças e impressões suficientes em nossa mente para retornar em uma nova situação em que os ensinamentos budistas estejam florescendo. O nível de nossa confusão é tal que provavelmente terminaremos como um asno. Não quero especialmente angustiá-los, mas essa é a verdade. É a primeira nobre verdade, a verdade direta, razão pela qual podemos nos permitir discutir essas sutilezas. Mas a morte não é tão sutil — morrer é terrível, absolutamente terrível.

Pensamos que podemos lutar contra a morte. Chamamos médicos, sacerdotes e filósofos para pedir-lhes ajuda. Procuramos um filósofo em cuja filosofia a morte não existe. Procuramos um médico muito competente, que lutou contra a morte um milhão de vezes, na esperança de que possamos nos candidatar a ser um daqueles que nunca terão de passar pela experiência da morte. Vamos até um sacerdote que nos dá a comunhão e diz que receberemos a vida eterna. Isso pode parecer engraçado, mas receio que seja verdadeiramente aterrorizante quando pensamos nisso. É terrível.

Na vida comum, no dia a dia, experimentamos o tempo todo situações que se assemelham à morte. A morte é um exagero dos três tipos anteriores de sofrimento. Começamos com o nascimento e, depois de ter nascido, começamos a acomodar-nos. Tendemos a suportar o envelhecimento como um processo contínuo e compreensível, e relacionamo-nos com a enfermidade como uma situação natural. Mas finalmente descobrimos que todo esse esquema vai terminar. Damo-nos conta de que nada dura por muito tempo. Cairemos de uma maneira muito abrupta e subitamente sentiremos que estamos com falta de ar. Isso é muito chocante!

Sofrimento do período entre o nascimento e a morte

Depois de ter discutido o sofrimento herdado — do nascimento, da velhice, da doença e da morte —, chegamos ao segundo nível de sofrimento. Esse nível está ligado a nossa situação psicológica e associa-se ao período entre o nascimento e a morte. Consiste em três categorias: encontrar-se com o que não é desejável; não ser capaz de conservar aquilo que é desejável; e não conseguir o que se deseja. Nunca estamos satisfeitos. Estamos constantemente correndo e sempre esforçando-nos muito, muito mesmo, para fazer o melhor possível. Nunca desistimos. Sempre tentamos conseguir pegar os últimos amendoins que ficam no fundo da lata.

5. DEFRONTAR-SE COM O QUE NÃO É DESEJÁVEL. A primeira categoria é a dor de encontrar-se com aquilo que não é desejável. Nossa atitude diante da vida é comumente bastante ingênua: pensamos que podemos evitar nos defrontar com situações desagradáveis ou indesejáveis. Comumente, somos bastante ardilosos e muito bem-sucedidos em evitar essas coisas. Algumas pessoas têm problemas tremendos e passam por um desastre depois do outro, mas ainda assim tentam evitá-los. Outras pessoas tocaram sua vida com bastante sucesso, mas mesmo elas às vezes descobrem que seus truques não funcionam. Confrontam-se subitamente com uma situação que é completamente oposta ao que desejam. Então dizem: "Céus! Que horror! Não esperava isso! O que aconteceu?". Nesse momento, de modo bastante conveniente, culpam alguma outra pessoa, caso tenham uma maneira de pensar suficientemente enganosa; se não têm, ficam simplesmente fora de si, boquiabertas.

6. NÃO SER CAPAZ DE CONSERVAR PARA SI O QUE É DESEJÁVEL. A segunda categoria é o oposto disso. É a dor de tentar aferrar-se ao que é desejável, fantástico, muito agradável, excelente, maravilhoso. É como se estivéssemos tentando nos agarrar a uma situação boa e, de repente, ocorre um vazamento. Aquilo que tão amorosamente abrigamos em nossos braços começa a murchar como um balão. Quando isso acontece, começamos a ficar muito ressentidos ou tentamos ver isso como um problema de outra pessoa qualquer.

7. NÃO CONSEGUIR O QUE SE DESEJA. A terceira categoria é subjacente às duas categorias anteriores. Consiste no fato de, em geral, não conseguirmos o que desejamos. As coisas são mesmo assim. Poderíamos dizer: "Um dia virei a ser um grande astro ou estrela do cinema, um milionário, um grande erudito ou pelo menos uma pessoa decente. Gostaria que dali em diante pudesse levar uma vida feliz para sempre. Tenho esse plano. Serei um santo ou um pecador, mas serei muito feliz". No entanto, nenhuma dessas situações acontece. E, se chegamos a nos tornar um grande astro ou estrela do cinema, ou um milionário, alguma outra coisa ocorre inesperadamente, de maneira que ser tal pessoa não ajuda. Começamos a dar-nos conta de que há ainda mais problemas na vida e que, de modo geral, a vida é muito deprimente. Nada nos satisfará. Nada, de nenhuma maneira, satisfará nossos desejos, em absoluto. Algo não está funcionando direito. Não faz muita diferença se somos espertos ou pouco inteligentes: as coisas não funcionam bem. Isso cria ansiedade, caos e insatisfação tremendos.

Angústia geral

8. O SOFRIMENTO DIFUSO. A última categoria, o sofrimento difuso, é em geral uma forma bastante diferente de sofrimento. As sete anteriores eram situações de dor e sofrimento compreensíveis. A oitava não é pior, mas é mais sutil. É a sensação sutil de insatisfação e angústia gerais que persistem o tempo todo — completamente, o tempo todo. Essa angústia geral que existe em nós não é reconhecida; há simplesmente uma sensação de que esse é o nosso jeito de ser. Sentimos que somos um obstáculo a nós mesmos e ao nosso sucesso. Há uma sensação de peso, vazio e desventura que é eterna. Se estivermos nos divertindo bastante, vivendo um momento de alegria fantástica, ainda existe desconforto. As coisas

não nos satisfazem cem por cento. Não conseguimos relaxar sem nos referirmos ao passado ou ao futuro. Um grande suspiro que vem acontecendo desde que nascemos, o tempo todo.

Angústia geral, ou sofrimento difuso, tem como base o legado da neurose. Mesmo quando sentimos alegria ou prazer nesta vida, se é que isso acontece, esse prazer tem em si um traço de amargura. Em outras palavras, a amargura é parte da definição de prazer. Não podemos experimentar só uma coisa, sem que haja algo que seja seu contraste. Essa é a experiência mais elevada de espiritualidade: sempre há um pouco de sabor agridoce.

Todo o sofrimento difuso está ligado ao constante movimento: pensamentos vacilantes, apego a situação após situação, ou mudança constante de assunto. É como sair do carro, entrar em um prédio, sair novamente, voltar para o carro e continuar com fome — para em seguida entrar em um restaurante, comer e voltar. Está associado ao que estivermos fazendo neste exato momento.

Nossa vida consiste em uma série de mudanças. Depois do tédio, essas mudanças podem parecer prazerosas e divertidas. Por exemplo, se fizemos um longo trajeto de carro, desembarcar é bom; descer e entrar em um restaurante é melhor; pedir a comida é ainda melhor; pedir alguma bebida alcoólica ou a sobremesa é o melhor de tudo, é ótimo. Nesses momentos, as coisas parecem bem e não achamos nada errado em nossa vida. Tudo é ideal, está muito bem. Não há nada para nos queixarmos e tudo é sólido, fantástico. Mas, mesmo com esse tipo de sensação, ainda existe um elemento doloroso. Essa sensação de satisfação está baseada, sobretudo, em não sentir mais a dor que sentíamos antes.

É questionável quanto estamos lidando com experiências anteriores e quanto estamos prontos para levar uma vida voltada para as novas experiências que vêm pela frente. Possivelmente descobriremos que inserimos nas antigas categorias até mesmo as novas experiências que estão por vir. Ao fazer isso, não sentimos satisfação, e sim dor. No budismo, a satisfação é minúscula. Quando estamos satisfeitos, podemos sentir uma sensação de autorrealização, conforto e afabilidade; mas, ao mesmo tempo, há uma sensação de que isso é questionável. Assim, nunca estamos plenamente satisfeitos.

Essa última forma de sofrimento, a angústia geral, é supostamente tão sutil que somente pode ser percebida por pessoas realizadas. Somente elas têm um senso de contraste em relação a essa ansiedade, no sentimento de ausência de ansiedade. No entanto, embora se tenha dito que é muito difícil as pessoas entenderem essa forma de sofrimento, ela não é verdadeiramente tão sofisticada assim. De fato, é muito simples. O importante é que comumente somos imunes ao nosso próprio sofrimento. Temos sofrido por tanto tempo que já não notamos, a menos que passemos por problemas muito óbvios ou muito grandes. Dessa maneira, somos como uma pessoa muito gorda. Uma pessoa que pesa 130 quilos pode ser bastante feliz e jovial, porque ela sente que seu peso é parte do seu corpo. Não sente que carregar todo aquele peso seja especialmente penoso, até que tenha falta de ar ou comece a pensar em problemas cardíacos. Da mesma forma, somos imunes ao nosso próprio sofrimento. Já que carregamos nossa carga de sofrimento, o tempo todo, crescemos acostumando-nos a ela. Aprendemos a viver com ela. De modo geral, embora carreguemos o peso da fixação que perpetua nossos eventos mentais desastrosos, não reconhecemos isso. Somos imunes ao desastre dos kleshas — as confusões mentais negativas e nocivas da agressão, paixão e ignorância, que nos tornam obtusos e nos mantêm vagando sem rumo. Somos imunes à sensação geral de sofrimento que ocorre o tempo todo.

Os três padrões do sofrimento

Os oito tipos de sofrimento foram anteriormente divididos em sofrimento herdado, sofrimento do período entre o nascimento e a morte, e ansiedade geral. Contudo, o sofrimento também pode ser descrito em três padrões: sofrimento do sofrimento, sofrimento da mudança e sofrimento que tudo permeia.

O sofrimento do sofrimento inclui as categorias do nascimento, da velhice, da doença, da morte e de defrontar-se com o que não é desejável. É conhecido como o sofrimento do sofrimento porque primeiro temos o nascimento, que é terrivelmente doloroso, e depois dele vêm a velhice, a doença e a morte. Tendo nascido, tudo isso é jogado sobre nós; e, além disso, encontramos o que não é desejável. Já que todo esse sofrimento se amontoa assim, isso é chamado de sofrimento do sofrimento. Uma analogia é termos câncer e, além disso, irmos à falência e nossa casa desabar sobre nós.

O sofrimento da mudança inclui duas categorias: tentar agarrar-se ao que é desejável; e não conseguir — ou não saber — o que se quer![1] No primeiro caso, descobrimos algo desejável e então isso termina. No segundo, somos incapazes de descobrir o que queremos e isso causa uma tremenda ansiedade. Ou fracassamos em descobrir o que realmente desejamos, ou isso está sempre mudando. Uma analogia para o sofrimento da mudança é estarmos na festa de nosso casamento e uma bomba explodir no meio da mesa. Uma analogia mais suave é, depois de um ótimo jantar, descobrirmos que a sobremesa ficou um desastre. O sofrimento da mudança inclui tudo o que tem um bom começo e um final amargo.

O sofrimento que tudo permeia é o oitavo tipo de sofrimento, ou ansiedade geral. Nossa condição é basicamente miserável por causa da carga pesada dos cinco skandhas, que perpetua nossas neuroses e nossos padrões habituais de pensamento. Por causa disso, começamos a achar que, em geral, nunca sentimos qualquer felicidade verdadeira.

Há um ponto em especial que gostaria de esclarecer: não existe algo como a felicidade verdadeira. Isso é um mito. Da maneira como abordamos o assunto, não há, de modo algum, algo como a verdadeira felicidade. Temos nos esforçado tanto por ela, tentando o tempo todo cultivar tantas coisas boas, tantos prazeres — mas iniciamos pela extremidade errada do bastão, desde o começo. Algo saiu errado quando começamos. Estamos tentando entreter--nos da maneira errada — tendo um ego, tendo fixações. Mas não podemos obter nenhum prazer com a fixação; e, depois disso, a coisa toda vai por água abaixo. No entanto, poderíamos começar pela extremidade certa do bastão, sem fixação, sem apego — isso é sempre possível. Essa é a chamada segunda metade das quatro nobres verdades: a verdade da cessação e a verdade do caminho.

A propósito, a primeira nobre verdade não corresponde exatamente ao conceito teísta de pecado original. Não fracassamos e não estamos sendo punidos ou jogados na prisão. Apenas começou pela ponta errada do bastão. Como consequência, o que temos é um senso geral de dor, cuja fonte não podemos encontrar. Se pudéssemos descobrir de onde ele vem, provavelmente poderíamos resolver isso, mas não temos sido capazes disso. Em contraste, a ponta certa do bastão significa começar adequadamente, com muita disciplina. Temos a oportunidade de vencer o sofrimento que tudo permeia, quando nos tornamos mais sensíveis a ele.

No conjunto, muitos inconvenientes irritantes ocorrem. Ter nascido é muito doloroso e ter um corpo é também extraordinariamente penoso. A isso se soma adoecermos até morrermos. Morremos porque estamos doentes. Desde que nascemos nunca fomos curados; caso contrário, não poderíamos morrer. Mesmo no mais alto nível de prazer, em qualquer coisa que façamos há sempre um traço de dor. Portanto, a dor é quase a consistência geral de nossa vida. Ela é a água com que fazemos nossa sopa, nossa vida em cada detalhe.

Em relação ao sofrimento, à dor e ao prazer, sempre que um elemento de sanidade começa a acontecer, a dor neurótica diminui e torna-se um pouco menos dramática e pessoal. Ao mesmo tempo, devido à clareza da mente, a própria dor se torna mais pronunciada — não porque a dor seja maior, mas porque a confusão é menor. Consequentemente, com maior clareza, a dor é sentida com maior crueza, de maneira mais precisa e direta. De acordo com o *abhidharma*, os ensinamentos budistas sobre psicologia e filosofia, aquele que não é sábio sente a dor como o golpe de um fio de cabelo na mão, mas o sábio sente a dor como o golpe de um fio de cabelo no olho. Assim, os sábios sentem muito mais dor, porque estão mais livres da neurose. Sentem a dor *verdadeira* e a precisão verdadeira da dor. Jamgön Kongtrül diz que o entendimento supremo da dor é que não podemos nos livrar dela, mas podemos ter dela uma compreensão mais elevada. Parece ser assim que as coisas acontecem.

Nesse ponto, estamos lidando com o nível mais fundamental. No início, no nível do hinayana, o budismo é um tanto rude, mas é apresentável às pessoas. Há a ideia de dor e ansiedade e a ideia de que podemos verdadeiramente nos salvar dessa ansiedade se praticarmos os ensinamentos. Isso pode ser cru, mas é verdade, e faz sentido para as pessoas. É muito real e honesto. Não podemos psicologizar a coisa toda e dizer: "Sentimos dor, mas considere isso como algo que não existe", e então simplesmente levar a cabo uma discussão filosófica. Essa abordagem não ajuda muito, então, temos de permanecer no nível da verdade primitiva. E, se investigarmos com sutileza, perceberemos que não é tão primitiva assim, e sim muito, muito sofisticada. Temos de apresentar o dharma como uma situação viável; caso contrário, ele não será algo que pode ser efetivamente comunicado a qualquer pessoa e se transformará em um conto de fadas. Poderíamos dizer: "Sente-se e pratique meditação. Então você sairá de sua situação miserável". Isso não é exatamente uma promessa, ou uma carta que levamos na manga, mas é verdade. É muito simples.

Ao discutir a primeira nobre verdade, não estamos dizendo que alguém não deveria ter nascido, nunca deveria ficar doente, jamais deveria envelhecer nem morrer. No entanto, com respeito ao *sofrimento* associado a tudo isso, uma pessoa pode ter a experiência da morte sem dor, da enfermidade sem dor, da velhice sem dor e do nascimento sem dor. Não estamos interessados em contrariar as leis e as normas do mundo dos fenômenos. Nunca teríamos nenhum budista se ele não tivesse nascido. Assim, receio que estejamos presos ao nascimento, à morte, à velhice e às enfermidades. Podemos superar o aspecto da dor disso tudo, mas não podemos superar a totalidade.

Sobre o próprio Buda, os seguidores do hinayana dizem que ele nasceu e morreu, então, ainda estava sujeito à norma samsárica, em certa medida. Era puramente *nirmanakaya*, ou terreno; não era um super-homem. Era uma pessoa boa, mas ainda tinha que se ater às normas mundanas: tinha de comer seus alimentos e tinha de morrer. E estamos na mesma situação. Não estamos tentando ir além disso. Não estamos tentando refutar nenhuma lei científica.

Podemos efetivamente declarar que, como budistas não teístas, podemos libertar o mundo da dor. Essa é a maior de todas as notícias. E estamos fazendo isso da maneira certa, em vez de cultuar alguém ou entrar em transe. Fazemos isso metódica, científica e psicologicamente. Começando por nós mesmos, estamos expandindo essas notícias para os outros, um a um. É muito claro e normal — e, ao mesmo tempo, é muito fora do comum.

A SEGUNDA NOBRE VERDADE

A verdade da origem do sofrimento

A origem do sofrimento deveria ser evitada

Capítulo 3

O poder dos pensamentos vacilantes

No princípio, tudo começa numa escala minúscula e depois se expande. As coisas começam a crescer e expandir-se até que se tornam muito grandes — em muitos casos, imensuravelmente grandes. Nós mesmos podemos experimentar isso. Esses deslocamentos ínfimos de atenção são o que criam as emoções agressivas, a paixão, a ignorância e tudo o mais. Embora sejam aparentemente avassaladoras, enormes e grosseiras, essas emoções têm sua origem nas distorções sutis que ocorrem constantemente em nossa mente.

O sofrimento, a primeira das quatro nobres verdades, provém da falta de atenção; provém da falta de discernimento ou ignorância. Não somos fundamentalmente incapazes de ficar atentos, mas somos incapazes de desenvolver a dedicação com afinco ou de esforçar-nos no caminho. A falta de atenção, não ter consciência, traz uma sensação de "estar perdido e dividido", e essa sensação de confusão básica naturalmente traz consigo dor. Por causa dessa sensação de insatisfação, de não encontrar nosso lugar certo, tentamos atacar o mundo exterior ou nos queixamos — mas, na verdade, a queixa deveria ser dirigida a nós mesmos. O problema original começou porque perdemos nossa consciência panorâmica. Não podemos culpar outra pessoa por isso.

A qualidade fundamental do sofrimento é que não podemos nos comportar da maneira correta. O primeiro vislumbre do sofrimento é uma sensação de inadequação: somos incapazes de coordenar nosso corpo, nossa fala e nossa mente. Podemos referir-nos a essa sensação de completa falta de jeito como o "instinto de macaco". Do sofrimento vem a ideia de irritação. Porque não estamos em acordo com o ambiente, o mundo começa a nos atacar. Podemos sentar-nos em uma cadeira muito desconfortável, que simplesmente não se adapta a nós, e por isso nos sentimos dolorosamente limitados. Podemos pisar nos excrementos de um cão na calçada, e subitamente não temos ideia de quem culpar: o cão que defecou, a nós mesmos ou à falta de limpeza da cidade. Há um contínuo aturdimento ou ressentimento contra o mundo. Presume-se que deveríamos dizer algo a quem nos ataca — mas nós mesmos criamos o problema, e por isso não sabemos o que fazer. Fundamentalmente, qualquer movimento que façamos por não ter consciência cria sofrimento e dor. Estar desorientado, perder o contexto, não ter o ponto de referência da abertura produzem dor.

É muito importante entender o sofrimento. A prática da meditação foi concebida não para desenvolver o prazer, e sim para compreender a verdade do sofrimento; e, para entender a verdade do sofrimento, deve-se também entender a verdade da consciência panorâmica. Quando a verdadeira consciência plena ocorre, não há sofrimento. Com a consciência plena, o sofrimento tem sua perspectiva bastante modificada. Não é necessário não sofrermos, mas a qualidade pungente de estarmos fundamentalmente em dificuldade é removida. É como remover um espinho. Pode doer, e podemos sentir dor ainda, mas o ego foi removido.

A segunda nobre verdade trata da origem do sofrimento: como surgem o sofrimento e a insatisfação. O sofrimento começa com vacilações do pensamento bastante simples e comuns, derivadas de um aturdimento básico. Antes que surja a intenção, há um estado de incerteza absoluta, no sentido de um estado mental geralmente entediado e estupefato. Essa incerteza ou aturdimento ocorre a cada fração de segundo em nosso estado de ser. Continua o tempo todo. Não sabemos se estamos vindo ou indo, percebendo ou não percebendo. Devido a essa incerteza, preferimos ficar girando em círculos a olhar ao redor e nos voltarmos para fora. Nossas ações são coloridas e aromatizadas por um tipo de instinto fundamental de macaco; nossa única orientação é o próprio odor fermentado de nosso corpo ou o odor da mente. É como um cego que guia outro cego. Estamos apenas farejando. Nesse estado de estupefação, estamos dispostos a entrar em um curral ou uma toca, como um animal, sem saber que as consequências serão dolorosas. Dessa maneira, somos arrastados para a dor, e não para o prazer.

Essa tendência para a dor não tem origem nem na dor nem no prazer, e sim no fato de querermos enterrar a cabeça em nós mesmos e sentir o cheiro de nossa própria perversidade. Preferimos ficar juntos à nossa família a sair e encontrar desconhecidos. Preferimos nos relacionar com nosso próprio ninho, uma má escolha cujo resultado é a dor. Então começamos com a ignorância, que em si é muito aconchegante, como viver dentro de um casulo. Devido à ignorância, preferimos deixar que ocorra dentro de nós um crescimento gigantesco a passar por uma operação e nos sentir melhor, porque a operação é demasiadamente dolorosa e é uma coisa excessivamente importante para que tenhamos coragem de fazer algo a respeito. Até mesmo nos orgulhamos dessa abordagem. Contudo, embora estejamos procurando o prazer, o resultado é a dor. Para nós, a bondade fundamental ainda não surgiu. A bondade fundamental é como levantar-se e tomar uma ducha, o que nos desperta; mas preferimos não fazer isso, embora tenhamos um banheiro. Preferimos dar um cochilo. É menos inconveniente e não precisamos sacrificar nada nem abrir mão de nada. É muito mais fácil apenas rolar em nossa sujeira. Não tomamos uma ducha, não nos lavamos, não vamos ao barbeiro cortar o cabelo, apenas deixamos crescer uma longa barba e cabelos compridos e saímos para caminhar sem rumo com nossos pequenos prazeres. Isso é o mais próximo que podemos chegar da ideia de samsara.

No interior dessa estupidez começamos a encontrar algo, e esse algo são a paixão e o desejo. Nem mesmo sabemos o que desejamos, mas estamos dispostos a ser indulgentes. O desejo ou a luxúria é aquilo que nos excita. Baseiam-se em querermos nos fortalecer. Mas não necessitamos do desejo. Poderíamos dar uma caminhada sem tentar fortalecer-nos. Poderíamos apenas dar uma caminhada, simples e diretamente. Fazer isso seria algo muito aberto. Não é preciso haver um duplo sentido o tempo todo e não precisamos filosofar sobre tudo. Poderia haver uma motivação pura.

O anseio natural e instintivo em direção à dor é chamado *künjung* em tibetano. Em sânscrito é *samudaya*. *Kün* quer dizer "tudo" ou "qualquer", e *jung* significa "surgimento", assim, *künjung* significa "a origem de tudo". Künjung é uma abreviação de *nyönmong künjung*, que significa "a origem de todas as impurezas (kleshas)". É onde são criadas todas as impurezas e dores. Künjung faz nascerem os doze *nidanas*, os elos na corrente da causação (ignorância, formação, consciência, nome e forma, os seis sentidos, contato, sentimento, desejo, apego, vir a ser, nascimento e morte). É a origem dos cinco skandhas, que são impregnados pelos kleshas.

De acordo com o abhidharma, künjung pode surgir a partir de pensamentos vacilantes e está ligado à ideia de *semjung*, os 51 eventos mentais que se originam da mente. Künjung está também associado a duas formas de *drippa*, ou obscurecimentos: *pakchak kyi drippa*, o "obscurecimento das tendências habituais", e *nyönmong kyi drippa*, o "obscurecimento das emoções negativas". A vacilação é pakchak kyi drippa, que dá origem às emoções, ou nyönmong kyi drippa. A vacilação age como a chama-piloto de nosso forno, sempre acesa e inflamando todos os demais queimadores. Do mesmo modo, há sempre algum pakchak kyi drippa esperando para acender qualquer skandha ou klesha, que estão prontos, à espera de serem acesos.

A ideia do künjung, a origem do sofrimento, é que ele progride. Quando nos projetamos numa situação ou em um mundo específico, começamos com um deslocamento da atenção muito pequeno e de curtíssima duração; e a partir disso as coisas são aumentadas e exageradas. De acordo com o abhidharma, a ligação entre as ideias pequenas e as grandes é muito importante. Por exemplo, dramas súbitos, tais como assassinar alguém ou criar um caos imenso, começam no nível de conceitos ínfimos e pequeníssimos deslocamentos de atenção. Algo grande está sendo posto em funcionamento a partir de algo muito pequeno. O primeiro pequeno indício de não gostar ou de ser atraído por alguém aumenta rapidamente e no final causa um drama emocional ou psíquico de escala muitíssimo maior. Portanto, no princípio, tudo começa numa escala minúscula e depois se expande. As coisas começam a crescer e expandir-se até que se tornam muito grandes — imensuravelmente grandes, em muitos casos. Nós mesmos podemos experimentar isso. Esses deslocamentos ínfimos de atenção são o que criam as emoções agressivas, a paixão, a ignorância e tudo o mais. Embora sejam aparentemente avassaladoras, enormes e grosseiras, essas emoções têm sua origem nas distorções sutis que ocorrem constantemente em nossa mente.

Devido a esse súbito deslocamento de atenção e porque nossa mente é basicamente destreinada, começamos a ter uma sensação de despreocupação a respeito disso tudo. Estamos constantemente à procura de possibilidades de apropriar-nos de alguém, ou de destruir alguém, ou de aliciar alguém para o nosso mundo. A luta acontece o tempo todo. O problema é que não nos relacionamos adequadamente com essa condição enganadora e evasiva. Temos a experiência do surgimento de tais pensamentos agora mesmo, o tempo todo; caso contrário, a segunda nobre verdade não seria verdadeira — ela seria apenas uma teoria. Pessoas que têm praticado meditação e estudado os ensinamentos, que têm se aberto e interessado, podem perceber esse padrão. Se somos praticantes, estamos esfolados e sem pele, o que é bom; no entanto, se somos muito maduros, talvez queiramos escapar ou tentar desenvolver uma casca mais grossa. Ser capaz de relacionar-se com as sutilezas das mudanças mentais está associado ao princípio hinayana de prestar atenção, em pequenas doses, a cada atividade a que nos dedicamos. Não existe algo como um psicodrama súbito sem nenhuma causa ou efeito. Cada psicodrama que ocorre em nossa mente ou em nossos atos tem sua origem nos pequenos pensamentos vacilantes e nas pequenas oscilações da atenção.

Capítulo 4

O desenvolvimento dos padrões preestabelecidos

Uma maneira de lidar com o sofrimento é entender sua mecânica, como ele se desenvolve e funciona. Se discutirmos imediatamente a cura, isso particularmente não ajudará. Primeiro precisa-se desacelerar e dar-se o tempo para entender ou tomar consciência da segunda nobre verdade, a origem do sofrimento. Não existe outra cura para o sofrimento nesse ponto, exceto entender sua constituição e psicologia.

A origem do sofrimento, estranhamente, pode resultar de tentarmos ser altamente disciplinados e conscientes, ou de perdermos completamente a consciência. Em geral, se não temos atenção plena e consciência panorâmica, o sofrimento começa a surgir; ao passo que, se estamos plenamente atentos e conscientes, o sofrimento não surge. Contudo, o sofrimento pode também provir de usarmos a disciplina de estarmos conscientes como uma maneira de buscar segurança mediante o desenvolvimento de padrões preestabelecidos na vida.

Padrões orientados para o ego surgem a partir de ambas as atitudes e ações, e conduzem ao sofrimento. Incluem: (1) considerar os cinco skandhas como se nos pertencessem, (2) proteger-nos da impermanência, (3) acreditar que nosso ponto de vista é o melhor, (4) acreditar nos extremos do niilismo e do eternalismo, (5) paixão, (6) agressão e (7) ignorância.

Considerar os cinco skandhas como se nos pertencessem

O primeiro padrão preestabelecido é considerar os cinco skandhas (forma, sensação, percepção-impulso, conceito e consciência) como se pertencessem a nós mesmos. Isso é conhecido como "o ponto de vista errado" ou "o ponto de vista que não é tão bom".

Proteger-nos da impermanência

O segundo padrão preestabelecido, sustentado por muitas pessoas, é proteger-se da impermanência e tentar desenvolver a vida eterna. Ao acreditarmos que somos ou poderíamos ser eternos, a primeira coisa que fazemos é buscar o tipo errado de mestre, alguém que nos prometa: "Se você praticar do meu jeito, eu lhe darei a vida eterna. Você viverá para todo o sempre!". É a velha abordagem do Shangri-La. Embora saibamos que nosso corpo não poderá durar indefinidamente, esperamos poder fazer com que pelo menos nosso espírito continue existindo para sempre, e para isso procuramos um mestre espiritual e lhe pedimos para ser salvos.

Acreditar que nosso ponto de vista é o melhor

O terceiro padrão preestabelecido é acreditar que nosso ponto de vista é o melhor. Isso se baseia numa abordagem da sacralidade de caráter espiritualmente materialista. Pensamos: "Este lugar é sagrado, este corpo é sagrado e esta prática é sagrada". Mas essa sensação de sacralidade está fundamentada no terreno muito confuso do materialismo espiritual. Ela se baseia na crença de que algum poder mágico nos salvará.

Acreditar nos extremos do niilismo e do eternalismo

O quarto padrão preestabelecido é acreditar nos extremos do niilismo ou do eternalismo. No extremo do niilismo, tudo é considerado completamente vazio, como nada. Nada na vida importa. Qualquer coisa que aconteça — estejamos nós na praia ou nas montanhas, observando o pôr do sol ou o amanhecer, vendo os pássaros voarem ou as flores crescerem, ouvindo as abelhas zumbirem —, nada realmente importa.

O extremo do niilismo provém da crença filosófica de que, se não acreditarmos em absolutamente nada, estaremos livres de tudo. Isso se relaciona à experiência sem forma, sem fala, sem emoções, e assim por diante, do *shunyata*. Cada experiência é completamente intermediada por filosofia. Essa filosofia niilista é reforçada por dizer que deveríamos apreciar todas as coisas como uma expressão da vacuidade. Por exemplo, ouvimos o som da cinza do incenso ao cair como o som da vacuidade, como o shunyata. Quando entendemos as coisas como uma expressão da vacuidade, pensamos que tudo ficará bem.

No extremo do eternalismo, pensamos que tudo é eterno e garantido. Porém, em vez de pensar apenas que tudo ficará bem, temos a sensação de que devemos fazer uma conexão com o que acontece ao redor. Sentimos que temos de ser um com a terra e as árvores, um com a natureza, que é eterna. Simplesmente ter prazer em algo, valorizar isso e não dizer nada, isso não ajuda — é preciso entrar em detalhes e transformar isso em algo mais pessoal. É necessário comer os alimentos certos, fazer os exercícios certos, trajar o tipo correto de roupas. É preciso entrar no ritmo certo de yin e yang. Acreditamos em uma norma eterna ou uma lei que governa a vida, e a ideia é que deveríamos nos ligar a ela, ficar do lado certo do cosmos, de maneira a não ter nenhum problema ou inconveniente.

Assim que começamos a acreditar em um desses extremos, sentimos que não precisamos nos sentar para meditar; em vez disso, a meditação virá até nós. Infelizmente, isso não é bem verdade. Alguma *outra* coisa virá até nós: a crença no niilismo ou no eternalismo. Embora isso possa constituir uma experiência agradável, temporariamente falando, sem uma prática definida e uma disciplina ensinada pelo detentor da linhagem de uma tradição autêntica, não podemos encontrar uma solução para o extremo do niilismo ou do eternalismo, ou transcender a origem do sofrimento. A prática traz um sentido de presença e consciência panorâmica simples, de modo que a experiência é muito real, sem ter por trás uma sombra niilista ou eternalista para fazer com que tudo pareça ser sólido. No que diz respeito ao niilismo, em vez de dizermos: "Sim, o sol nasceu. Certo, e daí?", simplesmente falamos: "O sol nasceu!". E, no que se refere ao eternalismo, em vez de dizermos: "Tive uma refeição macrobiótica no jantar", falamos simplesmente: "E daí? Eu comi!". O nível de consciência do hinayana é muito profundo.

Essa é uma versão muito simplificada do niilismo e do eternalismo. Os filósofos e os teólogos do hinduísmo discorrem sobre esses dois extremos de uma maneira muito sofisticada; no entanto, neste momento, estamos apresentando esses dois pontos de vista da perspectiva dos eternalistas e niilistas contemporâneos da Califórnia e de Nova York. Fundamentalmente, os dois, o eternalismo e o niilismo, são maneiras de tentar alimentar a própria existência e o próprio ego. São visões extremas no sentido que ou não damos a mínima e nada é um problema, ou *há* um problema, de modo que temos de colocar-nos no lado certo no que diz respeito a ele. Com referência a esses dois extremos, o importante é não abandonar ambos os extremos, nem acreditar em ambos. Em vez disso, é preciso desenvolver um sistema de pensar inteiramente diferente, no qual não haja segurança nem ego. Somente a consciência plena cria um sentido verdadeiro para essa abordagem não dualista.

Paixão, agressão e ignorância

O último padrão preestabelecido consiste em um grupo muito conhecido: paixão, agressão e ignorância. Paixão ou luxúria, por estranho que pareça, mantém com a agressão um jogo psicológico muito interessante, para lá e para cá. Ou seja, o problema da paixão surge de ela não ser paixão pura e completa, o que seria direto e verdadeiro. A paixão ou luxúria que experimentamos no domínio do ego é bem o contrário. Há nela um toque de ódio, que traz consigo carência, cobiça e possessividade. Sentimos que não temos algo, então queremos nos apossar disso. Pensamos: "Sinto esta dor porque sinto que não estou realmente aqui. Como poderei me cuidar?". E a instrução que recebemos de nós próprios é que, para ter bastante entusiasmo, temos de ser um pouco agressivos. Analogamente, na agressão há um leve sentimento de desejo e luxúria, que torna a agressão mais forte. Assim, ter uma atitude agressiva em relação a alguém é igual a ter um caso de amor com alguém. No que diz respeito à ignorância, ela tem elementos da paixão e da agressão: o desejo de aprender está mesclado com um leve toque de ódio. Pensamos que nosso estado de espírito talvez não seja suficientemente inteligente para saber algo; portanto, começamos a ignorar o que poderia saber e a desenvolver uma aversão exacerbada ao conhecimento e ao estudo.

Esses sete pontos de vista ou padrões preestabelecidos são constituintes básicos da origem do sofrimento. Tendo caído em qualquer um deles ou em todos, temos a experiência da luta, da competição, da dor e da confusão constantes. Se abordarmos a segunda nobre verdade com o sabor da prática contemplativa, descobriremos que esses constituintes básicos são óbvios e pessoais.

Como praticantes, damo-nos conta de que, particularmente, esses padrões não vão embora, mas ao menos sabemos a que eles se referem e, à medida que progredimos, provavelmente sabemos o que se deveria fazer a respeito deles. Poderíamos pensar que, uma vez enunciado o dharma ou a verdade, isso deveria resolver esses problemas automaticamente, mas não é isso o que acontece. Primeiro, é preciso que estudemos o dharma; só *então* poderemos pensar sobre o que poderemos fazer. A menos que sejamos homens de negócios, não podemos falar sobre falências.

Capítulo 5

A recriação perpétua do sofrimento

Nosso padrão habitual é que, sempre que encontramos algo indesejável ou não atraente, tentamos evitar com pequenas artimanhas dentro de nós mesmos. Poderíamos observar-nos fazendo isso. As pequenas coisas que fazemos, as pequenas áreas em que tentamos nos entreter — esse processo que acontece o tempo todo é tanto o produto do sofrimento como seu produtor. É a origem que perpetuamente recria o sofrimento, assim como aquilo pelo que passamos constantemente como resultado do sofrimento.

A origem do sofrimento, künjung, está baseada na crença na eternidade. Essa crença na eternidade marca a diferença entre o teísmo e o não teísmo. Dessa crença na eternidade provém a esperança que a pessoa tem de conservar-se a si própria, de continuar a ser, e a busca da longevidade do *self* ou ego. Junto com isso vem o medo da morte. Procuramos todo tipo de alternativa, alguma maneira de manter-nos ocupados. Tateamos por todos os lugares a fim de sobreviver. Esse processo de tatear está relacionado ao desenvolvimento dos kleshas. Começamos a olhar para fora, para os outros, para o mundo, e agarramo-nos ao mundo como uma maneira de conservar nossa existência. Usamos o mundo como uma muleta. Como resultado, esse processo conduz ao sofrimento, porque as várias maneiras que experimentamos para nos conservar não ajudam verdadeiramente a nos conservar — de fato, elas nos atrapalham —, então, nosso esquema começa a desabar. Quanto mais ele se decompõe, mais temos de reconstruí-lo; e, à medida que essa reconstrução acontece, o sofrimento retorna, portanto, voltamos repetidamente à reconstrução. É um círculo vicioso. O processo do samsara prossegue continuamente. Temos de entender seu funcionamento, pois, sabendo como funciona o samsara, saberemos como trabalhá-lo. Saberemos o que extirpar e o que cultivar.

O caminho ou jornada torna-se importante porque destrói a fixação — aferrar-se a si próprio e aferrar-se aos outros —, o que se poderia dizer ser a origem do sofrimento. Há dois tipos de künjung: o künjung dos kleshas e o künjung do karma. Os kleshas são nosso estado de ser, nosso estado de espírito. Os kleshas, tais como a paixão, a agressão, a arrogância, são todos situações internas; são eventos puramente mentais. O künjung do karma é agir sobre outros como resultado de tais kleshas. Os dois tipos de künjung poderiam ser considerados kármicos; contudo, o segundo tipo de künjung é muito mais kármico, porque envolve a tomada de decisões, lidar com os outros e efetivamente fazer algo com o mundo fenomênico.

Poder-se-ia dizer que o künjung dos kleshas é uma expressão embrionária do künjung do karma. Por exemplo, se algo irrompe em nossa mente quando estamos meditando e reconhecemos isso imediatamente, isso não tem o mesmo peso kármico que teria se tivéssemos agido a partir disso. Ao compreender claramente esse processo, ele passa a ser simplesmente um jogo, e não um plano sério; ao passo que, se anotarmos isso em um bloco de anotações, poderemos nos lembrar de chamar um amigo para falar a respeito, e já teremos plantado uma semente kármica. Simplesmente perceber isso com a mente e perceber sua futilidade, dar-se conta de que se trata apenas de um jogo, constitui a graça salvadora. Essa parece ser a importância da prática da meditação.

Os seis kleshas-raiz: Emoções conflitantes que levam ao sofrimento

Os kleshas são degradações ou emoções conflitantes. Há seis kleshas-raiz e vinte kleshas secundários.[1] Os kleshas são minúsculos no começo, mas suas consequências são grandes e desastrosas. A origem das emoções conflitantes é que somos ansiosos e estamos sempre à procura de entretenimento. Os kleshas parecem manifestar-se magicamente, fazem-se notar como se viessem do nada, mas isso acontece porque estamos prontos para eles. Tendo criado um objeto para o qual dirigimos a atenção, desenvolvemos mais confusão, vendo as coisas desejáveis como indesejáveis e as coisas indesejáveis como desejáveis. Essa pequena perversão acontece, e o processo é levemente distorcido. Não sabemos quem somos ou quais são nossos verdadeiros desejos. Há todos os tipos de possibilidade, mas com todos eles há uma pequena distorção, que poderia ser descrita como uma percepção equivocada. Dentro desse arranjo mental básico, começam a surgir a paixão, a agressão, a ignorância e todo tipo de emoções secundárias.

Textos tradicionais descrevem a natureza das emoções como perturbação e caos. Emoções conflitantes são os altos e baixos, e as irregularidades que ocorrem na mente. Diz-se que há seis emoções-raiz: desejo, ira, orgulho, ignorância, dúvida e opinião.[2] Esses seis kleshas são conhecidos como "aqueles que perturbam a tranquilidade", como se houvesse qualquer tranquilidade quando estamos atolados no mundo samsárico. Em geral, temos muita dificuldade para encontrar um pequeno espaço no qual tenhamos a experiência da tranquilidade ou paz. Tranquilidade é simplesmente um alívio temporário de nossa indulgência com um desses seis estados de ser.

Os seis kleshas-raiz aparecem em sucessão a partir de uma estupidez ou aturdimento básico. Isto é, do aturdimento de não saber o que fazer vem um súbito tremular de pensamentos. Isso começa a torná-lo muito apaixonado e ambicioso. Assim, o primeiro klesha é o *desejo*. Na verdade é mais luxúria do que desejo. Somos seduzidos por nós mesmos e por nosso estado de aturdimento. Então, já que não somos capazes de vivenciar a satisfação completa dessa sedução, sentimos *ira*. A arrogância ou o *orgulho* vem dessa ira e da inabilidade de satisfazer-nos, como uma espécie de autopreservação ou automanutenção. Depois disso vêm a negligência, a incerteza ou a *ignorância*. Essa ignorância é uma ignorância diferente da que disparou inicialmente o gatilho. Não é o aturdimento básico, e sim um simples boicote das situações, ignoramos as coisas, recusando-nos a vê-las de uma maneira inteligente. Assim, a paixão leva à agressão, que conduz ao orgulho, que leva a uma espécie de estupidez em que não nos importamos. Esses são os quatro primeiros kleshas.

Então, ignorá-los desenvolve-se no quinto klesha, que é conhecido como a *dúvida*. Não confiamos em nenhuma alternativa e não aceitamos conselhos ou nenhuma saída. Duvidamos dos ensinamentos do mestre e do dharma do Buda. Até mesmo duvidamos das normas simples e sensatas da existência do dia a dia. Disso vem o sexto klesha, que é conhecido como ponto de vista ou *opinião*. Formamos uma opinião, que usamos para solidificar nossa fantasia. Dizemos: "É isso. Entendi e me recuso a acreditar em qualquer outra coisa. Esse é meu ponto de vista; essa é minha ideia; isso é o que creio ser a coisa certa a fazer".

No que diz respeito ao künjung dos kleshas, tem-se dito que a ignorância é a origem do sofrimento; também se tem dito que a paixão é a origem do sofrimento, mas não há conflito entre esses dois pontos de vista. A paixão refere-se à confusão de sempre querer agarrar-se à situação possível que vem a seguir. Por apegar-nos continuamente às situações, produzimos perpetuamente desejo. Portanto, a paixão é uma força motora, impulsiva; mas subjacente a ela existe uma sensação de incerteza, aturdimento e ignorância. Portanto, também se poderia dizer que a origem do sofrimento é a ignorância fundamental. O termo *fundamental* refere-se ao terreno de base no qual nos encontramos sofrendo. O aturdimento básico e o sofrimento são a existência. Eles *são*. Não se trata de uma parceria, eles simplesmente *são*. Somos nosso próprio sofrimento, nossa própria ignorância. O klesha da ignorância (*timuk*) é apenas aturdimento superficial. Em contraste, a ignorância fundamental (*avidya*) é a recusa absoluta de relacionar-nos com a totalidade do sofrimento. Desejamos boicotar a situação toda.

Padrões kármicos que conduzem ao sofrimento

A origem do sofrimento como karma é bastante simples e definida. Ela começa com a ignorância; a ignorância é, consequentemente, a origem. A ignorância, por sua vez, causa a ação volitiva. A partir da ação volitiva, pode ocorrer toda a reação em cadeia do karma, um nidana depois do outro. Então temos o conceito da reação em cadeia kármica — não apenas o conceito, mas o fato de o karma começar a nascer em nosso mundo, em nossa vida.

Tanto os estados psicológicos ou atitudes como o ambiente físico produzem consequências kármicas. A força kármica que existe em nossa vida comum do dia a dia é inevitável. Se somos pobres, é improvável que subitamente fiquemos ricos — no entanto, se somos ricos, podemos descobrir que é fácil ficarmos subitamente pobres! Se somos jovens, não podemos ficar subitamente velhos; se somos velhos, não podemos ficar subitamente jovens. Essas situações autoexistentes em que estamos aprisionados são expressões da origem do sofrimento. Estamos presos a elas e não temos escolha. Não somente não temos escolha, mas também temos de lidar com elas, o que é um transtorno. Esse é um problema kármico. Além disso, dependendo de como nos conduzimos, podemos continuar a criar mais dívidas. Como lidamos com isso depende da nossa situação existencial e da nossa vida comum do dia a dia. Estamos atolados em nosso mundo particular por causa desses padrões kármicos, e nos ocupamos em tentar perpetuar o prazer e atenuar a dor, até mesmo no mais ínfimo detalhe. Se sentimos desconforto, podemos pegar uma bala de hortelã,* colocá-la na boca e graças a ela tentar sobreviver por uns poucos segundos. Ou podemos pegar um cigarro e acendê-lo, ou podemos decidir levantar-nos e estender as pernas, virar-nos e olhar para fora da janela. Todos esses pequenos gestos são expressões do fato de que estamos sujeitos a algum tipo de problema. Mas, quando nos permitimos continuar com mais atividades desnecessárias, estamos apenas perpetuando esse problema. Isso não significa que não deveríamos chupar uma bala de hortelã ou levantar-nos e olhar para fora da janela — isso seria simples demais. Nosso padrão habitual, no entanto, é o de, sempre que encontramos algo indesejável ou não atraente, tentarmos evitar com pequenas artimanhas dentro de nós mesmos.

---

* No original, *Life Saver*, uma marca norte-americana de balas com o formato de uma boia salva-vidas, muito popular nos Estados Unidos e em outros países de língua inglesa.

Poderíamos observar-nos fazendo isso. As pequenas coisas que fazemos, as pequenas áreas em que tentamos nos entreter — esse processo que acontece o tempo todo é tanto o produto do sofrimento como seu produtor. É a origem que perpetuamente recria o sofrimento, assim como aquilo pelo que passamos constantemente como resultado do sofrimento. Desse ponto de vista, tudo é extraordinariamente desesperador. Porém, é melhor assumir essa atitude de desesperança do que ver a coisa toda como uma grande piada. Considerar tudo como uma grande piada é uma abordagem antidármica ou antibudista. É um estilo livre de budismo. Portanto, deveríamos ater-nos aos fatos e aos números, àquilo pelo que estamos passando em nossa vida. Todos estamos sujeitos a esses problemas e deveríamos perceber isso e tentar entender isso. Mais tarde, talvez sejamos capazes de relacionar-nos com a terceira nobre verdade, a verdade da cessação, e investigar como podemos ser inspirados por ela. Mas por ora é melhor sermos muito realistas. Isso é absolutamente importante.

Karma demeritório

O künjung do karma pode ser dividido em karma demeritório e karma meritório. O karma demeritório provém de uma semente de agressão fundamental. Não se baseia em uma forma cortês de agressão, mas vem de um nível mais profundo de ressentimento e raiva. Mesmo antes de começarmos a agir ou a criar sofrimento, temos todo tipo de desejos perversos de plantar más sementes kármicas.

KARMA DEMERITÓRIO LIGADO AO CORPO. O karma demeritório que surge da agressão fundamental é composto do que são conhecidos como os dez atos prejudiciais, que se dividem em três seções:

corpo, fala e mente. Os três primeiros atos, relativos ao corpo, são *tirar a vida*, *furtar* e ter *comportamento sexual impróprio*. São uma mistura de paixão e agressão. Os dois primeiros, tirar a vida e furtar, estão ligados à agressão. O terceiro, comportamento sexual impróprio, está ligado à paixão — ou possivelmente à agressão, dependendo da visão de mundo que se tenha. Todos os três são uma tentativa de trazer o mundo exterior para o interior do nosso próprio mundo nefasto. Estamos tentando construir uma espécie de império, baseado em nossa própria versão das coisas. Tirar a vida, roubar e ter um comportamento sexual impróprio são condicionados por motivos ulteriores de todo tipo. Se não conseguimos trabalhar com uma pessoa, nós a rejeitamos: tentamos matá-la ou roubar algo dela. E, se aceitamos alguém, se incluímos essa pessoa em nosso território, tentamos fazer sexo com ela. É uma maneira muito imediata de lidar com as situações.

Às vezes colocamos animais dentro de uma gaiola e os estudamos — como eles comem, como se acasalam, como produzem filhotes, como cuidam de suas crias. Mas na verdade não precisamos colocar animais em gaiolas; podemos observar a nós mesmos fazendo todas essas coisas. Já estamos em uma gaiola samsárica e somos um perfeito estudo zoológico. A vida no samsara é muito rude. Se tivéssemos alguma outra perspectiva, a vida poderia ser considerada bastante embaraçosa; mas, já que não temos outra perspectiva, a coisa toda é aceita. Tirar a vida, roubar e o comportamento sexual impróprio são controlados por normas sociais. Algumas formas dessas ações são aprovadas pela lei porque estão em concordância com o esquema básico da sociedade; outras não são aprovadas pela lei porque interferem com esse esquema. Mas todas elas, legais ou ilegais, estão ligadas ao esquema de rejeitar e aceitar. Tudo se resume a isso.

KARMA DEMERITÓRIO LIGADO À FALA. Os próximos quatro dos dez atos prejudiciais estão ligados à fala. O quarto é *dizer mentiras*. Queremos defender nossa pequena causa, então, tentamos enganar. Contar mentiras vincula-se a um misto de paixão e agressão: estamos tentando rejeitar as pessoas e tentando incluí-las em nosso mundo, ambas as ações ao mesmo tempo. Nesse contexto, mentir significa contar mentiras óbvias e elaboradas, com a intenção de promover nossa própria prosperidade e nossa própria segurança.

O quinto é *criar intrigas*, que está baseado em tentar dividir. Quando achamos que o mundo é demasiadamente sólido, que ele criou uma frente unificada contra nós, tentamos demoli-lo por meio da intriga. Tornamos alguém nosso amigo e transformamos outro em inimigo. Tentamos vencer atraindo algumas pessoas e repelindo outras.

O sexto é usar *palavras negativas*. Sentimos que podemos proclamar nossa grande sabedoria ao falar criticamente de alguém ou de algum assunto em particular. Usamos palavras fortes. Nossa expectativa é que, se usarmos palavras fortes, se as dissermos em alto e bom som, elas serão uma espécie de arma ou bomba que poderemos lançar no meio da sociedade, no meio de nossos amigos ou no meio de nossos inimigos. Esperamos que nossas palavras nos deem poder sobre os outros. Como criadores de palavras fortes, destrutivas, esperamos poder destruir a sociedade, conceitos, ideias, sentimentos e teorias de toda espécie.

O sétimo é *fofocar*, ou, no que diz respeito a isso, qualquer coisa que não seja fala funcional. Fofocamos a fim de corromper os outros, para destruir aqueles que desenvolveram grande esforço e disciplina. Gostaríamos de quebrar a disciplina dessas pessoas e rebaixá-las até nosso nível para chorar lágrimas de crocodilo e falar sobre o tempo e nossa ideia sobre a ideia delas. Um bate-papo desse tipo tem um enorme efeito maléfico sobre os outros, porque é muito eficaz. Não possui pontas e arestas afiadas; apenas atrai os outros para mais pensamentos discursivos. Atrai os outros para o bate-papo. Sabemos que há muitas pessoas especialistas nisso.

KARMA DEMERITÓRIO LIGADO À MENTE. Os últimos três dos dez atos prejudiciais estão ligados à mente. O oitavo é a *inveja*, que se vincula à fantasia do pensamento positivo* e à mentalidade de pobreza. Temos muito desejo de apoderar-nos do que não temos, mas sentimos que somos inadequados para isso. Invejamos a situação das outras pessoas. Sentimo-nos basicamente inferiores, achamos que temos menos sabedoria, menos clareza mental, menos meios hábeis, menor concentração, menos o que quer que seja. Quando olhamos para uma pessoa que tem um pouco mais do que nós, tornamo-nos vorazes, sentimo-nos completamente feridos. Nós nos sentimos mal se outra pessoa tem uma boa ideia ou se alguém tem uma visão sensacional, e inventamos todo tipo de lógica e razões para provar que estão errados. Permitimo-nos embarcar em um esquema no qual estamos sempre por cima e à frente dos outros, tentando rebaixá-los ou reduzir a importância de suas ideias ou teorias. Como exemplo, quando ouvimos sobre a possibilidade da visão do Sol do Grande Leste — da situação desperta e do destemor indestrutíveis —, saímos de nós. Ficamos enciumados e com inveja. Porque nos sentimos tão toscos e primitivos, temos medo de poder ser excluídos de tal visão. Por isso nos agarramos à nossa lógica particular, nossa confusão atrapalhada, nossa mentalidade de pobreza.

* Em inglês, *wishful thinking*. (N. do T.)

O nono é ter a expectativa e o *desejo de causar dano* ou ter maus sentimentos em relação a alguém. Não nos sentimos bem com respeito a alguém e gostaríamos que algo desse errado com ele ou ela. Por causa da enorme influência do teísmo, em particular da moralidade cristã, poderíamos dizer que jamais pensaríamos mal de ninguém ou desejaríamos magoar qualquer pessoa, que nem mesmo temos inimigos. Poderíamos enganar outras pessoas com muita facilidade em relação a isso. Entretanto, caso nos examinemos detidamente, começaremos a descobrir que de fato possuímos algum tipo de má vontade. Talvez seja apenas um leve traço, mas manifestamos agressão, ressentimento e raiva para com alguém.

O último dos dez atos prejudiciais é não acreditar na verdade ou *não acreditar na sacralidade*. Recusamo-nos a trabalhar o senso de reverência. Isso pode fazer com que nos sintamos como se estivéssemos sentados sobre um altar, destruindo objetos sagrados ou pisando sobre sutras, as palavras do dharma. Mas há algo mais do que isso. Sentimo-nos total e absolutamente desgostosos com tudo o que possa acrescentar sentido à vida — um senso de santidade, riqueza ou sacralidade. Tratamos a prática da meditação como uma maneira de apenas passar o tempo, e entoar cânticos como uma simples conversa. De fato, tudo que fazemos deliberadamente, tudo o que constitui atenção plena, é considerado um aborrecimento. Tudo se resume a uma despreocupação excessiva, não nos vemos como dotados de dignidade e confiança. A única coisa que importa é ficarmos vivos — ter um teto sobre a cabeça e comida para comer. Simplesmente não acreditamos na dignidade fundamental. Acreditamos na miséria do mundo, e não em sua sacralidade.

Karma meritório

Em seguida temos as dez ações meritórias do karma. Embora sejam meritórias, ainda as devemos considerar como produtoras de mais sofrimento, mais karma. Agindo com virtude ou de uma maneira degradada, ainda estaremos produzindo dor e sofrimento. Isso continuará até que façamos a escolha, até que peguemos a outra extremidade do bastão.

As dez ações meritórias são muito simples: são o oposto das dez ações prejudiciais. Por exemplo, em vez de tirar a vida, desenvolvemos o *respeito pela vida*. Em vez de furtar, praticamos a *generosidade*. Na conduta sexual, praticamos a *integridade sexual* e a amizade. Em vez de contar mentiras, praticamos a *veracidade* e desenvolvemos uma fala sadia. Em vez de criar intrigas, praticamos a *franqueza*. Em vez de usar palavras ásperas, praticamos a *sabedoria benevolente*. Em vez da fala inútil e das fofocas, desenvolvemos a *simplicidade*: falamos com simplicidade e o que dizemos é significativo. Em vez de pensamentos desejosos e avareza, temos um senso de *abertura*. Em vez de pensamentos destrutivos e maus sentimentos, praticamos a *gentileza*. Em vez de descrença na sacralidade, comprometemo-nos em entender a *sacralidade*.

A ideia geral de karma é que um senso de incerteza, engano ou ignorância começa a pôr em funcionamento os mecanismos da luxúria, ou paixão, e da agressão, que então produzem consequências kármicas.[3] Essas consequências são divididas em seis seções, que representam seis maneiras de organizar muito mal o nosso mundo: (1) o poder da ação volitiva, (2) experimentar o que se plantou, (3) consequências kármicas brancas, (4) modificar o fluxo kármico por meio da ação vigorosa, (5) situações kármicas compartilhadas, e (6) interação da intenção e da ação. Isso é bastante previsível: já que nosso mundo é criado a partir da paixão, agressão e ignorância, aquilo que nele colocamos é o que ele nos devolve. As coisas estão acontecendo constantemente dessa maneira. É muito estável e previsível.

1. O poder da ação volitiva

O primeiro tipo de consequência kármica, conhecido como o poder da ação volitiva, tem quatro subcategorias.

BOM COMEÇO, MAU FINAL. A primeira subcategoria é a do bom começo, mau final. Embora a situação kármica geral em que estamos entrando seja virtuosa, o resultado é mau. A analogia tradicional é que nascemos como seres humanos dotados de inteligência e estado desperto, ou estado desperto potencial; mas nascemos em circunstâncias más. Por exemplo, podemos ser pobres, então, embora tenhamos grande inteligência, não temos liberdade para praticar e estudar, porque precisamos lutar pela vida o tempo todo. Ser pobre não é considerado mau, mas cria obstáculos desproporcionais, assim como todo tipo de demandas extraordinárias, lutas e dores — e, se não tivermos os recursos necessários, permaneceremos atolados em nossa própria pobreza.

MAU COMEÇO, BOM FINAL. Nesta segunda categoria, embora suas circunstâncias sejam más, recebemos um final bom. Isso é como ter nascido em uma família rica de *nagas* (deidades semelhantes a serpentes), que poderíamos transpor para ter nascido em uma família de mafiosos. Ter nascido em uma família de mafiosos é uma situação kármica má. Contudo, embora nossa vida possa estar nos levando à destruição, nessa família temos acesso à riqueza e a recursos, e a possibilidade de fazer muitas coisas boas. Assim, esta subcategoria é exatamente o oposto da anterior.

MAU COMEÇO, MAU FINAL. Na terceira subcategoria, a ação volitiva e o resultado dessa mesma ação são ambos maus. É como ter nascido em circunstâncias infernais e ser forçado a permanecer nessa má situação.

BOM COMEÇO, BOM FINAL. Na quarta subcategoria, a ação volitiva é boa e o que recebemos também é bom. Isso é como ter nascido como *chakravartin*, ou "monarca universal": temos a oportunidade de fazer todo tipo de coisas porque a situação é muito favorável.

2. *Experimentar o que se plantou*

O segundo tipo de consequência kármica, experimentar o que plantamos em nossa situação kármica, divide-se em três subcategorias. A primeira é ter a experiência dos resultados kármicos *imediatamente*. Quando começamos a agir agressivamente, com raiva, paixão e ignorância, então, automática e imediatamente, obtemos os resultados. É como ter uma briga com alguém, ir embora dirigindo nosso carro e envolver-nos em um acidente. É muito imediato.

Na segunda subcategoria, as consequências kármicas são sentidas *mais tarde*; elas não nos atingem até nosso próximo nascimento. Na terceira subcategoria, experimentamos as consequências kármicas *amadurecidas a partir de um nascimento anterior*. Por exemplo, nascemos no mundo com uma situação oportuna, mas surge alguém que estraga isso. Poderíamos dizer que é como ter nascido no Tibete e então ter de sair devido à perseguição dos comunistas, e terminar sendo um frentista em um posto de gasolina nos Estados Unidos.

3. Consequências kármicas brancas

O terceiro tipo mais importante de consequências kármicas, as consequências kármicas brancas, refere-se a situações kármicas boas que estão perpetuamente crescendo. Ele tem três subcategorias. A primeira é *emular as três joias* — o Buda, o dharma e o sangha. Disso obtemos resultados kármicos bons, natural e perpetuamente.

A segunda subcategoria é *emular e apreciar a virtude de outra pessoa*. Isso também conduz a bons resultados kármicos e a uma situação favorecida. Quando nos inspiramos pela situação desperta de outra pessoa, também ficamos despertos. Essa é a virtude da influência.

A terceira subcategoria é *praticar o dharma*. Mesmo que nossa mente esteja divagando, ainda estamos praticando o dharma. Por isso temos uma boa situação kármica, a despeito da divagação de nossa mente.[4]

4. Modificar o fluxo kármico por meio da ação vigorosa

A quarta consequência kármica é que, embora tenhamos terminado em uma situação muito má, podemos mudar subitamente o fluxo kármico mediante um esforço enorme e vigoroso, absolutamente súbito. Podemos ter terminado em uma tremenda depressão, mas somos capazes de dar um salto na vida e superar isso. Somos capazes de mudar o fluxo de nosso estilo de vida particular. Podemos ter nos acostumado a ser muito preguiçosos e negligentes, mas a prática da meditação sentada poderia conter esse estilo de vida, de maneira que subitamente nos transformemos em uma pessoa bem-vestida, vigorosa e elevada.

Temos pensamentos de dúvida cada vez que agimos. Há hesitação, e a partir dessa hesitação ou brecha podemos nos mover para a frente ou para trás. A mudança do fluxo do karma ocorre nessa brecha. Assim, a brecha é muito útil. É ela que fazemos nascer uma nova vida.

5. Situações kármicas compartilhadas

A quinta consequência kármica, a das situações kármicas compartilhadas, divide-se em duas subcategorias: karma nacional e individual.

KARMA NACIONAL. A primeira subcategoria é o karma nacional. Por exemplo, podemos ter nascido em um país específico, onde sempre convivemos com lojas de conveniência, pizza para viagem e carros mal fabricados. Vemo-nos em ambientes ou mundos determinados, mas não podemos colocar a culpa por isso totalmente em nós mesmos. O país inteiro é conformado dessa maneira.

KARMA INDIVIDUAL DENTRO DO KARMA NACIONAL. A segunda subcategoria é o karma individual dentro do karma nacional. Por exemplo, se o sistema de esgoto de nosso bairro não é bom, em certo sentido o karma é particular e pessoalmente nosso, porque é nossa canalização que se rompe frequentemente e isso custa muito dinheiro e trabalho. Outro exemplo é termos um mau professor, que fica muito irritado por ser mal remunerado pelo sistema escolar. Por um lado, essa situação não é nossa culpa; mas, por outro, somos nós que terminamos especificamente nessa escola. Temos à disposição uma rede de canais de televisão, mas temos também nossa TV para sintonizar-se a ela e também escolhemos uma estação em particular. É muito simples. O karma do meio e o individual complementam-se um ao outro; eles se alimentam mutuamente.

6. *Interação da intenção e da ação*

A sexta e derradeira consequência kármica é a interação da intenção e da ação. Ela está dividida em quatro subcategorias.

INTENÇÃO BRANCA, AÇÃO BRANCA. A primeira subcategoria é chamada de completamente branca. Um exemplo de karma completamente branco é respeitar nosso mestre e ter devoção por ele. Porque toda a abordagem está relacionada à sanidade, e não ao pensamento revolucionário, à má vontade e ao ressentimento, muita virtude emerge dela. Portanto, cria-se a brancura perpétua.

INTENÇÃO NEGRA, AÇÃO NEGRA. A subcategoria seguinte é completamente negra. Isso é como tirar a vida de alguém sem nenhuma razão ou motivação especial. Assassinamos alguém ou destruímos algo. Isso é completamente negro.

INTENÇÃO BRANCA, AÇÃO NEGRA. A terceira e a quarta subcategorias são misturas da branca e da negra. A terceira subcategoria é basicamente positiva: com a boa intenção de proteger o todo, executamos uma ação negra. Por exemplo, com a boa intenção de proteger a vida de centenas de pessoas, matamos uma pessoa. Esta parece ser uma boa situação kármica. Se alguém vai apertar o botão que detonará uma bomba atômica, abatemos a pessoa com um tiro. Aqui a intenção é branca, mas a ação em si é negra, embora tenha um efeito positivo.

INTENÇÃO NEGRA, AÇÃO BRANCA. Na quarta subcategoria, a intenção é negra e a ação é branca. É como ser muito generoso com nosso inimigo enquanto estamos tentando envenená-lo; é uma mistura de negro e branco.

Embora as pessoas não sejam cem por cento sadias, elas merecem nosso respeito por sua bondade parcial. É o mesmo que dizer que não podemos esperar que faça um tempo perfeito. Em vez disso, temos de esperar que ocasionalmente faça um tempo bom, com raios de sol de bondade, a despeito da neve. Chegamos a todos os seis tipos de consequências kármicas, em parte por estarmos no meio errado e em parte devido à nossa própria neurose. É nossa intenção evitar essas consequências kármicas. Contudo, quando essas duas condições se juntam, é muito difícil opor-se a elas. A única maneira de fazer isso é incitando a inspiração pessoal para tentar mudar nosso karma pessoal nacional e doméstico.

Para recapitular: a origem do sofrimento é dividida em duas seções principais: o künjung dos kleshas e o künjung do karma. Parece ser bem simples: o künjung dos kleshas consiste em seis kleshas-raiz, seguidos de vinte kleshas subsidiários. O künjung do karma inclui o karma demeritório e o karma meritório (que são subdivididos em três seções: corpo, fala, e mente), mais as consequências kármicas.

No hinayana, para erradicar o samsara, a estratégia é desligar ou desconectar tudo da tomada. Poderíamos efetivamente desligar da tomada o refrigerador do samsara. Pode levar várias horas para degelar; apesar disso, tão logo tenhamos desligado da tomada esse refrigerador específico, o degelo acontecerá. Por isso, não deveríamos nos sentir atolados nessas situações kármicas. Deveríamos sentir que sempre temos a oportunidade de interromper o fluxo do karma. Primeiro temos de interromper nossa ignorância e, em seguida, também precisamos interromper nossa paixão. Ao interromper as duas, nossa ignorância e nossa paixão, o resultado é que nada acontece nos termos do mundo samsárico. Já desligamos o refrigerador da tomada.

A TERCEIRA NOBRE VERDADE

A verdade da cessação do sofrimento

A meta deveria ser alcançada

Capítulo 6

O despertar e o florescimento

É possível vivenciar um momento do nirvana, um lampejo de cessação. Foi isso que o Buda ensinou em seu primeiro sermão em Sarnath, quando ministrou os ensinamentos sobre as quatro nobres verdades, repetidos por quatro vezes. O Buda disse que o sofrimento deveria ser conhecido; dever-se-ia renunciar à origem do sofrimento; a cessação do sofrimento deveria ser alcançada; e o caminho deveria ser considerado a verdadeira solução.

A terceira nobre verdade é a verdade da cessação. A verdade da cessação (*gokpa*) está relacionada ao conceito de *tharpa*, ou "libertação". Ao falarmos sobre a possibilidade da cessação, deveríamos livrar-nos das histórias fictícias sobre como é maravilhoso chegar lá e finalmente tornar-se alguém. Ideias assim podem ser obstáculos. No tocante à cessação, a questão é se temos de usar nossa imaginação ou se verdadeiramente podemos experimentar uma sensação de alívio e liberdade. A verdade sobre esse assunto é que, com respeito à cessação, a imaginação não desempenha um papel muito importante. Ela em nada ajuda na obtenção de resultados.

A experiência da cessação é muito pessoal e muito real, como a prática da meditação. Geralmente, contudo, nossas experiências de liberdade ou de libertação são bastante escassas e diminutas — e, quando de fato temos um vislumbre ocasional de liberdade, tentamos capturá-lo e então o perdemos. Mas é possível estender esses vislumbres. Por exemplo, se uma pessoa esperar tempo suficiente, sem voltar a dormir, começará não apenas a ver as estrelas, mas também o alvorecer, depois o nascer do sol e, finalmente, toda a paisagem iluminada pela luz brilhante oriunda do céu. Começará a ver as mãos, as palmas das mãos, os artelhos, e também começará a ver as mesas, as cadeiras e o mundo que a cerca. E, se for suficientemente esperta para olhar o espelho, verá também a si própria.

A verdade da cessação é uma descoberta pessoal. Não é mística e não tem nenhuma conotação religiosa ou psicológica, é simplesmente sua experiência. Se derramamos água fervente na mão, essa é uma experiência pessoal: nós nos machucamos. Igualmente, se temos um orgasmo, essa é nossa experiência pessoal: nenhuma outra pessoa tem essa experiência. Da mesma maneira, a cessação não é apenas uma descoberta teórica, e sim uma experiência que é muito real para nós — é um ganho súbito. É como ter boa saúde instantaneamente: não estamos resfriados, não temos gripe, nem desconforto ou dores pelo corpo. Sentimo-nos perfeitamente bem, absolutamente refrescados e despertos! Uma experiência assim é possível. Baseados no fato de que alguém já a teve no passado, nós também a vivenciaremos mais cedo ou mais tarde — embora não haja uma garantia disso, é claro.

A pessoa que já teve a experiência da cessação do sofrimento é o Buda. A palavra sânscrita *buddha* é traduzida em tibetano como *sang-gye*. *Sang* quer dizer "desperto", e *gye* significa "expansão" ou "florescer". A palavra *sang* está ligada ao despertar do sono da dor; e, dentro da dor, do sofrimento e da falta de conscientização, *gye* é como uma flor que se abre. Já que estamos despertos, recolhemos uma grande quantidade de conhecimento. O cognoscível tornou-se conhecido para nós por meio da consciência panorâmica e da atenção plena.

Do ponto de vista das quatro nobres verdades, o que estamos tentando fazer é tornar-nos sang-gye. Tentamos florir. Tentamos ser despertos. É precisamente isso que estamos fazendo. É bem possível que tenhamos um vislumbre de sang-gye acontecendo de maneira interminável. Embora possamos pensar que estamos nos iludindo — e às vezes *estamos* nos iludindo —, esse elemento ocorre constantemente. De acordo com a terceira verdade nobre, a cessação é possível. No caminho das quatro nobres verdades, estamos tentando transformar-nos em budas, budas de verdade, verdadeiros sang-gyes.

O obstáculo principal para tornar-nos buda é o samsara. A palavra tibetana para samsara é *khorwa*: *khor* significa "giro" ou "rodopio", então, *khorwa* quer dizer "girar" ou "aqueles que estão rodopiando". Considera-se que o khorwa, ou samsara, é como o oceano, porque o oceano circula continuamente ao redor do mundo: avança, volta a recuar, avança novamente etc. De maneira parecida, o samsara é uma circulação sem fim. O oceano samsárico está baseado em três categorias: a semente, a causa e o resultado.

As três categorias do samsara

1. A semente do samsara: o aturdimento

A semente do samsara é o completo oposto do buda ou despertar do sofrimento: é ignorância, estupidez, aturdimento básico. O aturdimento é um estado psicológico que todos nós experimentamos; inclui o estado de sonho e o estado de sono. Devido ao aturdimento, estamos constantemente sem rumo, sem saber exatamente o que está acontecendo — que é o oposto da consciência ou de dar-se conta. Não ver, não saber, não ter a experiência do que está acontecendo, uma constante ausência de rumo — essa é a semente do samsara.

2. *A causa do samsara: a fixação*

A segunda categoria do samsara é a causa. A causa é aferrar-se a conceitos vagos. Isso é o que chamamos "fixação", ou *dzinpa*, em tibetano. *Dzin* significa "agarrar", logo, *dzinpa* significa "fixação" ou "avareza". Já que não temos uma percepção clara, devemos agarrar-nos à imprecisão e à incerteza. Ao fazer isso, começamos a comportar-nos como uma bola de pingue-pongue, que não possui inteligência alguma, mas segue somente a orientação da raquete. Somos golpeados de cá para lá por nossa fixação, como uma bola de pingue-pongue.

Gostaríamos de expressar-nos quando sentimos que somos sabotados ou não somos reconhecidos — gostaríamos de expor-nos a riscos —, mas de novo, somos "pingue-pongueados". Às vezes sentimos que temos tanta responsabilidade que gostaríamos de aposentar-nos e desaparecer, mas novamente nos tornamos uma bola de pingue-pongue. O que quer que façamos, nossas ações não são perfeitamente corretas porque, baseados nesse jogo neurótico, continuamos a ser "pingue-pongueados". Embora possa parecer que a bola de pingue-pongue esteja comandando os jogadores, embora pareça surpreendente que uma bola tão pequena tenha tanto poder para dirigir as ações dos jogadores e até mesmo atrair os espectadores e fazê-los prestar atenção nela enquanto vai de um lado para o outro — na realidade isso não é verdade. A bola de pingue-pongue é apenas uma bola. Ela não possui nenhuma inteligência; funciona apenas por reflexo.

3. *O efeito do samsara: o sofrimento*

Finalmente, chegamos ao efeito. A semente do samsara é o aturdimento; a causa do samsara é a fixação; o efeito é o sofrimento. Já que temos sido jogados constantemente de um lado para o outro, começamos a sentir a vertigem. Como uma bola de pingue-pongue, sentimos muita tontura e todo o corpo dói, tantas vezes fomos golpeados de um lado para o outro. A sensação de dor é enorme. Essa é a definição de samsara.

De acordo com a terceira nobre verdade, estamos prevenindo o samsara, ou causando sua cessação, comportando-nos como *sang-gye*, ou um buda. Parece que a única maneira de poder identificar-nos, ainda que por um breve instante, com a experiência da budeidade é por meio da experiência da prática da atenção plena e da consciência panorâmica. Essa é a mensagem. Nesse ponto, a cessação não é considerada como cessação pura ou resposta completa — ela é a mensagem de que isso é possível. É possível desenvolver a compreensão. É possível desfazer o aspecto mítico e ficcional da cessação e ter a experiência de um lampejo de cessação como uma realidade, embora isso possa ser apenas um lampejo muito curto, muito pequeno.

O primeiro passo é dar-nos conta de que estamos em uma desordem samsárica. Embora as pessoas ouçam isso por muitos anos, elas ainda não *reconhecem* verdadeiramente que estão sendo golpeadas como uma bola de pingue-pongue. É precisamente por isso que estamos no samsara — porque sabemos o que estamos fazendo, mas ainda assim continuamos a fazê-lo. No entanto, ao sermos uma bola de pingue-pongue, ainda temos brechas durante as quais *não* a somos. Há brechas nas quais experimentamos alguma outra coisa. De fato, enquanto somos uma bola de pingue-pongue, ocorre constantemente outra experiência: a experiência da consciência panorâmica. Começamos a dar-nos conta do que somos, de quem somos e do que estamos fazendo. Mas essa constatação pode levar ao materialismo espiritual, que é outra forma de fixação — estamos sendo "pingue-pongueados" pela espiritualidade. Contudo, também nos damos conta de que, se não houver velocidade, não haverá fixação; portanto, poderemos transcender o materialismo espiritual.

Uma pessoa tem um vislumbre de cessação como uma espécie de petisco. Quando o petisco é bom, fazemos uma ideia de como será a refeição principal. O ponto básico é *experimentar* a cessação em vez de ter uma teoria ou um sonho a respeito dela. Conforme diversos gurus da linhagem advertiram, descrições detalhadas do resultado constituem um obstáculo ao caminho. Os ensinamentos deveriam ser baseados puramente no nível da prática e da experiência pessoal direta. Portanto, estamos seguindo essa recomendação. Porém, no contexto da prática, se a abordagem é livre do samsara, ouvir a descrição dos detalhes do caminho não é particularmente problemático. Poderíamos desenvolver uma compreensão muito detalhada e precisa da natureza do caminho que se baseia no processo de retornar à atenção plena e à consciência panorâmica.

O que contrasta com o samsara é o nirvana, ou paz. Todavia, nesse ponto não temos nada senão o samsara e pequenos pontos de luz que surgem do meio da escuridão. Nossa primeira alternativa ao samsara é a prática da consciência panorâmica e da atenção plena, que nos transporta pela viagem das quatro nobres verdades. Essa parece ser a única maneira. Temos de retroceder para tornar-nos como o Buda. A terceira nobre verdade é muito simples: o nirvana é possível. Antes de termos completado a cessação, temos de ter a mensagem de que é *possível* ter a cessação completa. Essa mensagem é como ver uma estrela no meio do céu em uma noite de lua nova. Finalmente, somos inspirados pela lua crescente, pela lua cheia e então pelo alvorecer — e então somos inspirados pela coisa toda.

É possível ter a experiência de um momento do nirvana, um lampejo de cessação. Foi isso que o Buda ensinou em seu primeiro sermão em Sarnath, quando ministrou os ensinamentos sobre as quatro nobres verdades, repetidos por quatro vezes. O Buda disse que a cessação poderia ser experimentada. Disse que o sofrimento deveria ser conhecido; dever-se-ia renunciar à origem do sofrimento; a cessação do sofrimento deveria ser alcançada; e o caminho deveria ser considerado a verdadeira solução. Isso é quase palavra por palavra.

Capítulo 7

A meditação como o caminho para a budeidade

O caminho da meditação leva ao shinjang, *ser completamente processado ou treinado, que é o resultado ou conquista da meditação shamatha-vipashyana. Embora ainda não tenhamos tido a experiência do desenvolvimento final, não é um grande segredo que existe um desenvolvimento final. Não se pode fingir que o Buda não existiu e ainda assim falar sobre seus ensinamentos, porque ele verdadeiramente fez isto — alcançou a iluminação. Não podemos manter isso em segredo.*

A terceira nobre verdade baseia-se em reconhecer o contraste entre o samsara e o nirvana. Na técnica da meditação pela respiração, tal contraste existe automática e naturalmente. Damo--nos conta de que algo está se alternando dentro de nós, de que sanidade e insanidade se alternam. Experimentamos uma brecha. Relacionar-nos com essa brecha é relacionar-nos com o contraste entre o samsara e o nirvana.

A analogia tradicional para a cessação do sofrimento é apagar uma vela com um sopro. Isso se refere à etapa final da cessação, quando nos tornamos um buda. Mas é necessário esforço e energia até mesmo para chegar à *ideia* de apagar uma vela com um sopro. Precisamos primeiro dar-nos conta de que a vela não é tão poderosa assim, que ela é fraca. Logo, verdadeiramente poderíamos apagá-la com um sopro. Tendo percebido que é possível apagá-la com um sopro, mesmo a distância, entendemos a mensagem.

E, quando essa mensagem é uma realidade, apagar a vela torna-se simplesmente uma questão de esforço.

A cessação do samsara acontece quando agimos como o Buda. No entanto, o Buda foi apenas uma pessoa. O estado mental de libertação pode ser diferente ou ter um estilo diferente para cada indivíduo. No entanto, é no treinamento que estamos interessados agora. Tendo sido bem treinados, podemos exercitar-nos nesse treinamento à nossa própria maneira. Por exemplo, depois de sermos aprovados no exame de motorista, que é o mesmo para todos, podemos dirigir de maneira diferente de outros aprovados no exame. No vajrayana ou tantra, os níveis e estilos diferentes em que as pessoas operam podem ser categorizados. Mas, no que diz respeito ao hinayana, trata-se apenas de uma questão de vivenciar a libertação básica.

Dá trabalho alcançar a libertação. É como fazer joias. Quando vamos a um joalheiro, por toda parte ele tem ouro e prata sólidos, ou pedaços de latão pendurados que são feios e não parecem ser especialmente ornamentais. Mas, quando pedimos que faça um anel ou um colar e alguns brincos, ele separa um pedaço de metal e, a partir dele, começa a fazer algo belo. Da mesma maneira, quando compramos um carro, lembramos que o carro recém-adquirido não nasceu de um lótus; ele foi feito em uma fábrica. Pode ser que *pareça* ter nascido de um lótus, mas isso não é bem verdade. É o mesmo com a budeidade, que se supõe ser imaculada e fantástica. Tornar-se um buda é uma inspiração final; para tornar-se um buda — uau! Mas o Buda não saiu de um lótus; ele saiu de uma fábrica.

A cessação do sofrimento está ligada à quarta nobre verdade, que é o caminho, ou *lam*, em tibetano. A cessação e o caminho trabalham juntos: quando existe um caminho, surge automaticamente a cessação; e, quando há a cessação, isso permite que sigamos o caminho. O caminho consiste em seguir o exemplo do Buda por meio da prática da meditação, por meio da atenção plena e da consciência panorâmica. A prática é um dos méritos da disciplina hinayana.

O hinayana é conhecido como o "veículo menor" por ser reto e estreito. Não há muito espaço para improvisar. Como não há improvisação, podemos desenvolver o que é conhecido como a salvação individual. A salvação individual não é uma meta egoísta; é autodisciplina, de maneira direta e simples. É simples no sentido de que não há muito a fazer senão estar completamente presente. O caminho da meditação leva ao *shinjang*, ser completamente processado ou treinado, que é o resultado ou conquista da meditação shamatha-vipashyana. Embora ainda não tenhamos tido a experiência do desenvolvimento final, não é um grande segredo que existe um desenvolvimento final. Não se pode fingir que o Buda não existiu e ainda assim falar sobre seus ensinamentos, porque ele verdadeiramente fez isto — alcançou a iluminação. Não podemos manter isso em segredo. Contudo, nesse meio-tempo, poderíamos considerar qualquer senso de promessa que venha a nossa mente, qualquer esperança que surja, como outro pensamento. Se houver um forte desejo de alcançar um resultado, isso nos empurrará para trás. Podemos relacionar-nos com a esperança como um respeito pelo dharma ou pela verdade, e não como uma promessa. É como uma criança na escola ao ver o professor: um dia, ela também poderá vir a ser um professor, mas ainda é preciso que faça seus deveres de casa. De maneira semelhante, no hinayana, em especial, há uma jornada que acontece continuamente, o tempo todo.

O shinjang ocorre em etapas. Começa com alcançar a clareza. Esse nível é como ver em um único vislumbre como seria o mundo se tivéssemos esse vislumbre constantemente. A fim de alcançar a cessação permanente, temos de continuar a prática. Assim, primeiro temos um vislumbre, que é como os salgadinhos do aperitivo; depois esses salgadinhos fazem com que tenhamos mais fome. Queremos fazer uma grande refeição; portanto, estamos dispostos a esperar, quem sabe horas e horas, até que venha essa refeição.

Quando desenvolvemos o shinjang, a sensação de turbilhão e ansiedade retrocede. Portanto, sob os dois aspectos, físico e mental, há um sentimento de conforto. Conforto não significa euforia, mas uma sensação de que as coisas estão se acalmando porque nossa vida se tornou mais simples. A simplicidade traz um alívio tremendo. Não obstante, não estamos procurando resultados e não nos transformamos em uma pessoa orientada por metas; simplesmente continuamos praticando. Depois de ter praticado bastante, o êxito sobrevém naturalmente. Se estamos constantemente em busca da cessação, temos um problema — não conseguiremos obter isso dessa maneira. Sempre que adotamos uma abordagem orientada para o ego, nós nos tornamos alérgicos a nós mesmos. Não há outro caminho a não ser deixar essa abordagem. Assim, obter a salvação individual não provém de procurar a salvação — a salvação simplesmente ocorre.

Chegamos à cessação e à salvação à medida que nos tornamos pessoas razoáveis. Tornamo-nos razoáveis e meticulosos porque deixamos de ser desleixados e descuidados. Portanto, há uma sensação de alívio. A meticulosidade é exemplificada pela prática do *oryoki*, um estilo formal de servir e comer os alimentos que tem suas origens no budismo Zen. Nessa prática estamos conscientes de tudo o que está sendo feito, de cada movimento. Ao mesmo tempo, não estamos tensos, pois, quando nos tornamos autocentrados, começamos a esquecer os procedimentos do oryoki. A lógica também se aplica se queremos manter o quarto limpo e arrumado, cuidar das roupas, cuidar do nosso estilo de vida em geral. Ser meticuloso não se baseia no medo; baseia-se na atenção plena natural.

Como efeito final, se perdemos a atenção plena e agimos com desleixo, um lembrete surge diretamente na memória. Tais lembretes são o resultado de primeiro ter uma forte disciplina. Os lembretes aparecem porque temos nos dedicado constantemente à prática. Se convivemos com uma pessoa amiga, alguém de quem gostamos muito, e ela vai embora, cada vez que pensamos nessa pessoa desenvolvemos mais afeição por ela. Da mesma maneira, se estivermos no nível mais avançado de shinjang, sempre que o desleixo ocorre, o próprio desleixo nos lembra disso, automaticamente, e nos traz de volta. Assim, um sistema natural de verificação e regulação começa a ocorrer. Dessa maneira, tornamo-nos como o Buda. Cada pequeno detalhe da vida tem um significado. Há uma maneira natural e digna de comer nosso alimento, uma maneira digna de relacionar-nos com tudo o mais que acontece em nossa vida. Em vez de ser uma situação de sofrimento, ela se torna serena. É por isso que o shamatha é conhecido como o desenvolvimento da paz. Paz não quer dizer busca de prazer, e sim harmonia. Não criamos caos para nós próprios ou para os outros, e começamos a trabalhar primeiro com nós mesmos.

Tradicionalmente, há quatro maneiras de cuidar do corpo e desenvolver a sanidade. A primeira é ter uma relação correta com os alimentos. Tal como na prática do oryoki, não consumimos grandes porções de comida, nem comemos pouco demais. Em vez disso, comemos o suficiente para deixar algum espaço no estômago. A segunda maneira é relacionar-nos corretamente com o sono ou o repouso. Não nos pressionamos constantemente, mas aprendemos a descansar. Repousar dessa maneira é diferente de repousar no sentido comum, em que às vezes ainda trabalhamos com demasiado afinco.

A terceira maneira é cuidar dos detalhes, o que significa, fisicamente, tratar do corpo, cuidar das roupas, tomar conta do ambiente. Como nos movemos fisicamente, como manuseamos as coisas, é mais importante do que simplesmente nossa aparência. Além da mera aparência, há uma qualidade de meticulosidade. A quarta maneira é a meditação: sem esse ponto de referência, não haveria verdadeiro alívio ou saúde. Assim, alimento, sono, cuidar de seu próprio bem-estar e meditação são as quatro maneiras para desenvolver a saúde; e essa saúde leva-nos a criar o estado de salvação individual. É por isso que se diz que o dharma é bom no começo, é bom no meio e é bom no fim.

Ao trabalharmos a nós mesmos, começamos com a forma exterior; depois, essa forma exterior traz consigo um sentimento interior; e, finalmente, esse sentimento interior traz um senso de liberdade mais profundo. Logo, esse é um processo tripartite. Esse mesmo processo poderia aplicar-se a qualquer coisa que façamos. No início, é principalmente uma grande confusão; no meio, às vezes é uma confusão e às vezes é natural; então, finalmente, se torna natural. Isso também se dá com a prática da meditação sentada: primeiro é uma luta; em certo momento é tanto uma luta como um alívio; e, finalmente, se torna muito fácil. É como colocar um anel novo; no primeiro dia é como se ele atrapalhasse; mas depois passa a fazer parte de nossa mão. É esse tipo de lógica. Quanto a mim próprio, fui criado desde os 5 anos de idade em um ambiente de disciplina constante. Se perdia minha consciência, era lembrado disso por meu tutor ou por meus disciplinadores, e não só por mim mesmo, de modo que isso agora parece ter se tornado natural. Isso não quer dizer que eu tenha sido bem-sucedido em alcançar algo especialmente importante por mim mesmo, e sim graças a meu disciplinador e meu professor.

Capítulo 8

Transcender o samsara e o nirvana

A ideia de cessação é transcender o tumulto e os problemas da vida, e a neurose que os acompanha. No entanto, esforçamo-nos tanto para transcender tudo isso, que somos incapazes de fazê-lo. Antes de mais nada, o próprio fato de tentarmos com tanto esforço é o que nos mete em confusão. Portanto, com respeito à cessação, definitivamente o ponto mais importante é que ela transcende tanto o samsara como o nirvana. Ao transcender as duas possibilidades de confusão, do samsara e do nirvana, transcendemos a própria cessação, logo, não há terreno de base. Ao mesmo tempo, essa ausência de terreno de base em si mesma poderia tornar-se uma expressão muito poderosa da cessação.

Do ponto de vista do hinayana, cessação quer dizer ser capaz de prevenir problemas ou esgotá-los. A palavra em sânscrito para cessação é *nirodha*, e, em tibetano, é *gokpa*, que em sua forma verbal significa "parar" ou "prevenir". A ideia de cessação não é tanto a de ser acalmado, mas a de ser subitamente interrompido. Às vezes, *gokpa* refere-se à meta final, ao estado de iluminação, ou libertação. No entanto, aqui, gokpa não é considerado a meta final; em vez disso, simplesmente significa que temporariamente os problemas foram evitados. Fomos capazes de superá-los, de erradicá-los. Tendo eliminado o lixo desnecessário, somos capazes de desenvolver uma atitude de vida verdadeiramente sadia e permitimos que ela transpareça. A cessação refere-se a evitar incômodos desnecessários; porém, ainda existe um nível de perturbação. É como se tivéssemos comida de ótima qualidade e estivéssemos satisfeitos com nosso prato em particular, mas ainda nos sentíssemos incomodados por ter de pagar por ele.

Gokpa também se refere à meta final, o estado de iluminação ou liberdade. Gokpa tem a qualidade de uma vacinação: uma vez que os problemas são evitados, isso é para sempre. Cessação significa que somos realmente capazes de nos prevenir contra as reações kármicas em cadeia, e também contra as consequências kármicas imediatas. Essa possibilidade advém de nossa própria realização e de nossa experiência da jornada. Começamos a ter a impressão de que poderíamos prevenir tais problemas sendo altamente disciplinados e tendo uma verdadeira conexão com nossa própria mente e nossos padrões de pensamento, que poderiam ser bons ou maus, virtuosos ou o contrário.

A questão é como tirar o fio da tomada, como desligar a eletricidade sem levar um choque. No que se refere à prática do shamatha, a maneira de fazer isso é com a não participação no mundo samsárico. Tornamo-nos monges ou monjas. Tornamo-nos bons praticantes, meditamos com frequência, pois na prática da meditação sentada fazemos a prevenção contra o karma, ou pelo menos não estamos fazendo nada de mal. Essa lógica pode parecer ingênua, mas não se trata de ser bom simplesmente não fazer nada, e ser ruim fazer uma porção de coisas. A lógica é que, quando estamos meditando, verdadeira e absolutamente, estamos boicotando o processo de fomentar qualquer coisa.

Há vários graus de cessação. Poderia haver um grau de cessação menor, um médio e um maior. Porque entendemos como a cessação se desenvolve gradualmente, começamos a sentir que verdadeiramente estamos progredindo. Desenvolvemos um sentimento de amizade, calma e respeito por nós próprios. Temos menos queixas e menos ressentimento. Podemos olhar-nos no espelho e ver quanto mudamos desde que praticamos pela primeira vez. Vemos que desenvolvemos um sentido de confiança e autenticidade. Basicamente, percebemos que costumávamos comer lixo e agora estamos começando a mudar nossa dieta; e damo-nos conta de que nunca faríamos aquilo de novo. Essas coisas muito simples são sinais do nirodha.

Embora comecemos a reconhecer esses sinais de cessação, ao mesmo tempo, não precisamos nos agarrar a eles. Não necessitamos de confirmação ou de algo que restaure nossa confiança; apenas seguimos adiante. Procurar restaurar a confiança seria retornar ao künjung, a origem do sofrimento, e não queremos isso. Ter experimentado a dor uma vez é suficiente. O fascínio que nos empurra de volta para a dor já não existe mais. Colocaríamos o dedo sobre a chapa de um fogão elétrico quando ela está muito quente, depois de já ter feito isso antes? É óbvio que não. Da mesma maneira, tendo compreendido completa e corretamente a verdade do sofrimento e a origem do sofrimento, nunca mais cometeremos o mesmo erro novamente. Isso acontece por instinto, e pelo estudo e pela prática. Os praticantes do mahayana diriam que todos possuem a natureza da situação desperta, chamada *tathagatagarbha*, ou natureza búdica, que nos força a ver além de nossa dor e assegurar-nos de que ela não se repita.

Do ponto de vista da experiência, a cessação significa que os pensamentos ficam transparentes. Os pensamentos já não são mais uma grande perturbação durante a prática da meditação sentada. Com a cessação, tais pensamentos ficam absurdos demais para ocorrerem. Ter a experiência da transparência dos pensamentos parece depender da disciplina de longo prazo do estudante. Na prática da meditação sentada, pensamentos muito poderosos podem ocorrer. Ficamos com raiva por isto — meu isto e meu aquilo, isto e aquilo das outras pessoas. Pontuações ocasionais fazem-nos tentar antever que tipo de comida comeremos, se temos de tomar uma ducha ou comprar xampu. Pensamentos de todo tipo, tanto pequenos como grandes, acontecem ocasionalmente, mas todos eles são considerados transparentes em vez de sólidos. A cessação acontece quando não há implicações por trás desses pensamentos — eles são somente pequenas ondas na superfície do lago.

Os doze aspectos da cessação

Tradicionalmente, a discussão sobre a cessação é dividida em doze tópicos. O livro *The Treasure of Knowledge* [Tesouro do Conhecimento], de Jamgön Kongtrül, também relacionou esses doze tópicos.

1. Natureza

O primeiro tópico é a natureza da cessação, que tem três categorias: a origem, do que abrir mão e o que cultivar.

ORIGEM: ABSORÇÃO MEDITATIVA. A origem da cessação é a absorção meditativa, um estado mental puro, além da ignorância. Começamos a entender a natureza da realidade ao desenvolver a absorção meditativa por meio da prática da disciplina do shamatha, que diminui os kleshas.

DO QUE SE DEVERIA ABRIR MÃO: DA NEUROSE. O que deveria ser abandonado, ignorado deliberadamente ou transcendido, é a neurose. Por meio da atenção plena e da consciência panorâmica, vivenciamos a possibilidade de não nos comprometer com os kleshas. Começamos a desenvolver um sentido de bondade e firmeza, que automaticamente nos impede de ser desleixados.

O CAMINHO A SER CULTIVADO: A SIMPLICIDADE. A simplicidade é o que deveria ser cultivado. Simplicidade quer dizer que mantemos tudo em seu mínimo. Mantemos a vida muito simples: poderíamos nos levantar, praticar, tomar o café da manhã, ir trabalhar, voltar, jantar, praticar de novo e ir dormir. De maneira ideal, bons praticantes deveriam fazer da vida um sanduíche, entre a prática da manhã e a do anoitecer. Isso simplifica as coisas e elimina o entretenimento desnecessário. No que diz respeito à meditação sentada, absolutamente não criamos nenhuma condição, como perguntar: "Deveria meditar pela manhã? Deveria meditar à tarde?". Não temos dúvida quanto a isso. Estamos totalmente influenciados por nossa prática de shamatha e pela simplicidade de nosso envolvimento com o dharma do Buda.

Fundamentalmente, a natureza da cessação baseia-se em um estado mental puro. Depois de superar ou ver através dos obstáculos ou véus que nos impedem de perceber as coisas como são — ver corretamente, com uma visão clara —, não há outras dificuldades. Ao superar nossa inabilidade de relacionar-nos com nossa natureza fundamental, nada precisa ser evitado e nada precisa ser cultivado. Os obstáculos que encobrem nossa sanidade básica não são considerados como endurecidos, fixados por uma cola muito forte, ou como difíceis de ser removidos, e sim como removíveis. É como afastar as nuvens para ver o sol. Apesar de tudo, pode ser difícil ver as coisas dessa maneira.

2. *Profundidade*

O segundo tópico é a profundidade. Profundidade quer dizer desenvolver sutileza em nossa atitude diante da cessação, entender que a cessação não é propriedade de ninguém. A cessação não vem de lugar nenhum, é parte de nós mesmos; e ao mesmo tempo, aparentemente, não é especialmente uma parte nossa. Fundamentalmente, as coisas que não são parte de nós são sempre questionáveis. A cessação não pode ser considerada um produto nem de nosso esforço pessoal, nem da sugestão de qualquer outra pessoa. Assim, como praticantes, deveríamos sentir-nos orgulhosos de nosso esforço ou sentir-nos arrogantes, pensando que produzimos a cessação do mundo samsárico. A cessação não é *nossa* — ao mesmo tempo, não pertence aos outros.

Praticamos devido a nossa própria inspiração. Ninguém pode nos forçar a fazer isso se não quisermos. Não precisamos depender de deidades locais ou nacionais, ou de deidades sectárias e religiosas. Tal inspiração parece ser parte natural nossa; mas, na realidade, o caminho não é parte de nosso sistema básico, porque é alheio a nosso estilo de pensar usual, que é a neurose. Há um problema quando nossa inspiração se desenvolve em um sentido de que o conhecimento e nós somos completamente um só, pois, se temos uma sensação de completa "unidade", não há uma motivação forte para seguir nenhuma disciplina, como a disciplina hinayana de não criar dano. Esse tipo de disciplina parece perder a qualidade de ser algo natural.

Alguém que nos apresente a linguagem da sanidade estará usando uma espécie de lógica diferente da lógica habitual da neurose, por mais filosófica e natural que ela possa parecer. Ao mesmo tempo, não podemos ignorar o fato de que a sanidade básica existe naturalmente em nosso estado de ser e que, por meio da disciplina, somos capazes de entender a origem e a cessação do sofrimento. Então, se perguntamos se o caminho é parte do nosso sistema básico ou não, a resposta é que é as duas coisas.

O dharma está alicerçado em um senso de separação, no sentido de que uma informação externa está chegando a nós. No entanto, quando essa informação não pode ser absorvida ou digerida correta e completamente e continuamos a considerá-la como separada, temos um problema. Também é problemático se tentamos manter nosso território particular escolhendo, entre o que nos é oferecido, apenas o que mais nos agrada. Por um lado, não há diferença entre dharma, disciplina e nós mesmos: o dharma é uma expressão de nós mesmos. Por outro, se pensamos que não há diferença entre nós e o dharma, de maneira que podemos inventar nosso próprio dharma à medida que seguimos em frente, isso não é bem assim. Herdamos exemplos do dharma através da linhagem e temos de seguir esses exemplos. Não podemos ter um estilo tão livre assim.

O dharma não é absolutamente tudo e não é absolutamente nada — é ambos. Nem mesmo é ambos, e ele não é, absolutamente, nem um nem outro. O dharma não é nosso e não é dos outros. Ao mesmo tempo, o dharma não é constituído de ambos, de nós e dos outros misturados, como um prato de comida agridoce. Portanto, nós e o dharma não somos um, e nós e o dharma tampouco somos completamente separados. Então, o que temos, afinal? Muito pouco, ou bastante. A única possibilidade é que única e simultaneamente a simplicidade da prática possa ser desenvolvida com respeito à tradição e à disciplina, e que nossa intuição possa ser desenvolvida de acordo com nosso próprio entendimento básico da vida. Essa é a importância da profundidade.

3. Sinal

O terceiro tópico é o sinal. O sinal de que alcançamos a cessação, ou gokpa, é que os kleshas começaram a diminuir. Pouco a pouco, descobrimos que eles gradualmente cessaram de existir. Começamos a tornar-nos insípidos, ordinários e maçantes. Devido a nossa prática, paramos de enganar e tornamo-nos pessoas decentes. Nós nos limpamos, por assim dizer, e nos tornamos pessoas mais razoáveis — imediata ou gradualmente. O sinal derradeiro é quando nos damos conta de que não há mais problemas emocionais de nenhuma espécie. Nesse ponto, alcançamos o nirodha e começamos a vivenciar o nirvana.

O sinal ou símbolo significa que estamos abandonando compromissos mundanos no sentido de indulgência pura e irracional. Mesmo pessoas mundanas de bom senso não considerariam boa essa indulgência. Além disso, estamos nos tornando altamente disciplinados. Somos realistas, limpos e industriosos; temos autodisciplina e projetamos dignidade. Essa decência ordinária é reconhecida como um sinal de cessação. Há virtude em tal lógica do dia a dia, como dirigir o carro com cuidado e não emitir cheques sem fundo. Embora essas virtudes possam parecer superficiais, pequenas coisas como essas ainda são consideradas como relacionadas com a possibilidade de gokpa. Essa é a lógica da vida doméstica ordinária, orientada para a cessação: há um elemento de sanidade e de transcender o samsara. Embora isso possa parecer uma possibilidade vaga, essa lógica possui em si essência e verdade.

4. Definitivo

O quarto tópico é definitivo. É baseado na aplicação da compreensão e da disciplina da *prajna* a nossa abordagem da vida. Por meio da prajna começamos a dar-nos conta da origem de nossos problemas e enganos, que decorrem da ignorância. Desenvolvemos uma compreensão verdadeira do lugar onde acontecem a confusão e o caos. Tendo entendido isso, não há mais possibilidade de voltar atrás. Desse ponto de vista, nossa jornada poderia ser considerada um empreendimento de tiro único. Nunca é considerada um simples ensaio.

Pela prática do shamatha, começamos a desenvolver a "nobre prajna" — a prajna suprema que transcende o mundo ordinário. Compreendemos em nível intelectual como e por que o sofrimento e a origem do sofrimento podem ser superados. Desenvolvemos uma compreensão genuína de como as coisas funcionam. Em outras palavras, não entramos em pânico. Quando entramos em pânico, perdemos de vista a nobre prajna. Rodamos em círculo, sem ir direto ao ponto, perguntando: "Como deveria estar fazendo isto? Por que deveria estar fazendo isto?". Tornamo-nos mendigos da incompetência. Mas, com a nobre prajna, ficamos confiantes. Começamos a enxergar o valor do intelecto, que nesse caso significa clareza aguçada, e não teoria. Em vez de recorrer ao estilo junguiano ou freudiano e psicologizar tudo, simplesmente vivemos nossa vida e entendemos como ela funciona. Na experiência da prajna, sabemos o que fazer e como fazê-lo da maneira certa e completa. Por meio do intelecto, somos capazes de superar o que deveria ser evitado: a semente ou a origem do sofrimento.

5. Incompletude

O quinto tópico é a incompletude. Quando alcançamos certo nível de realização espiritual, ou de cessação, começamos a entender que, embora tenhamos sido capazes de alcançar esse nível, as coisas não estão adequadamente completas. Entendemos que, não obstante tenhamos superado problemas e obstáculos, ainda não nos desenvolvemos completamente. O estudante do hinayana que ingressa pela primeira vez na disciplina é conhecido como um *vencedor da corrente*. Depois de ter entrado no sistema da disciplina, superamos o bloqueio mental que nos impede de ver com clareza, ver as coisas como são. Mas, tendo adentrado o caminho da visão clara, descobrimos que, com isso, há ainda mais bloqueios mentais. Há também estudantes que alcançaram o nível daqueles que *retornam uma só vez*, o que quer dizer que a pessoa somente voltará ao mundo por mais uma vida, não continuará a voltar devido a suas dívidas kármicas. Embora não tenha superado completamente o mundo de prazeres e paixões, ou depurado completamente o mundo dos desejos — e, portanto, ainda tenha problemas —, a pessoa ainda é considerada alguém que alcançou um tipo de liberação ou salvação. Mesmo para aqueles que em sua próxima vida não retornarão ao mundo do samsara, chamados de *aqueles que não retornam mais*, a obtenção do gokpa ainda é incompleta ou temporária. Todos os estudantes nessa situação são parcialmente liberados e parcialmente confusos; ainda assim, sua cessação incompleta ainda poderia ser chamada de uma forma de salvação.

6. Sinais de completude

O sexto tópico são os sinais de completude. Nesse ponto nos tornamos um arhat, alguém que superou ou controlou completamente qualquer obstáculo ao caminho. Os arhats já restringiram o que deveria ser restringido e desenvolveram o que deveria ser desenvolvido. O aprendizado foi completamente consumado, e atingimos um estado de não mais aprender. Porém, esse estado de não mais aprender se refere apenas aos arhats no nível do hinayana, e não no nível dos bodhisattvas ou dos budas. Refere-se aos arhats que alcançaram o nível de não mais aprender no que diz respeito ao próprio mundo de sua condição de arhats. Isso não tem nada a ver com os cinco caminhos do vajrayana, em que o caminho de não mais aprender seria a budeidade.[1]

Para recapitular, no hinayana há os vencedores da corrente, os que retornam uma só vez, os que não voltam mais e os arhats.

Quando os estudantes entram pela primeira vez no caminho, são chamados de vencedores da corrente. Na medida em que enfatizam as absorções meditativas, *dhyanas* (ou *jhanas*),[2] os vencedores da corrente e os que retornam uma só vez permanecem no reino das paixões. Os que não retornam mais são capazes de conquistar o reino das paixões, mas ainda estão trabalhando com a mente samsárica e com a ideia hinduísta de alcançar a realização divina. Continuam a trabalhar com isso até que se transformem em arhats completos, quando finalmente interrompem todo o ciclo. Os que não retornam mais são incompletos porque ainda estão no processo de não voltar. (Penso que Nagarjuna gostaria dessa sutileza especial.)[3]

Os arhats progridem pelas quatro etapas do jhana, ou absorção meditativa, e vão além. Ninguém sabe exatamente o que acontece nesse ponto; há muitas divergências filosóficas sobre isso. Em minha escola,[4] sustentamos a posição de que, quando alguém é capaz de superar completamente as quatro etapas do jhana e as quatro etapas sem forma do jhana, ele ou ela terá se tornado um budista verdadeiro, em vez de ficar vagando no samsara. Em outras palavras, porque as etapas do jhana ainda envolvem possibilidades samsáricas, essa absorção meditativa deve ser transcendida.

7. Sem ornamento

O sétimo aspecto de gokpa é sem ornamento, sem enfeites. Nessa etapa, embora tenhamos desenvolvido a prajna, o que nos levou a superar completamente as emoções conflitantes, não estamos ornados com sinais de santidade e dignidade. Realizamos muito em nível pessoal, mas não manifestamos isso para o resto do mundo. Alguns textos chamariam isso de ser incapaz de realizar milagres, o que é um assunto algo questionável. Poderíamos nos referir a milagres mais no sentido de controle real sobre o mundo. Basicamente, "sem ornamento" quer dizer que não estamos prontos para ser professores, embora tenhamos nos desenvolvido rigorosa e completamente. Podemos ter transcendido os problemas emocionais neuróticos, mas ainda somos incapazes de manifestar-nos diante de estudantes, de nós próprios e do mundo como pessoas altamente realizadas. Então estamos sem os ornamentos de professor.

8. *Adornado*

O oitavo tópico é adornado; é gokpa com enfeites ou ornamentação. Nesse momento nos tornamos professores. Desenvolvemos confiança e aptidão, e nossa disciplina individual também se desenvolveu. Já tendo superado o véu da neurose e o véu das obrigações kármicas, alcançamos poder sobre o mundo.

9. *Com omissão*

O nono tópico é com omissão. Não obstante tenhamos transcendido as paixões e a neurose do reino dos humanos, ainda somos incapazes de alcançar a verdadeira sanidade de maneira completa e correta. Conseguimos a liberdade ao saber como evitar nascer no reino do inferno, no reino dos fantasmas famintos, no reino animal, no reino dos humanos, no reino dos deuses ciumentos e em parte do reino dos deuses; mas o reino dos deuses sem forma ainda não foi transcendido. Essa porção do reino dos deuses é a mais sagrada do sagrado, o reino samsárico mais elevado. Isso é exemplificado na religião hinduísta pelo esforço para alcançar a condição de brahma e então transcendê-la. No hinduísmo, há níveis além da condição de brahma, em que *brahma* (a Divindade) se torna a universalidade de *brahman* (o Absoluto).[5] Nos termos do cristianismo, poderíamos dizer que completamos nosso treinamento, mas não conseguimos uma boa conexão com a divindade. Já que a neurose de uma ideia abstrata do absoluto não foi completamente subjugada, há uma omissão. Mesmo aspirantes a arhats, aspirantes a bodhisattvas ou aspirantes a budas que praticam o caminho do dharma do Buda ainda têm esses sutis problemas emocionais teístas.

10. Sem omissão

O décimo tópico é sem omissão. Sem omissão quer dizer que transcendemos até mesmo o conceito majestático e místico da Divindade ou da condição de brahma. Finalmente conquistamos todo o mundo teísta. Aqui, todas as neuroses e padrões habituais foram transcendidos. Contudo, isso não significa que estamos nos tornando um bodhisattva ou um buda. Estamos falando sobre alguém que se encontra no nível do hinayana. Nesse nível, mal temos lidado com as coisas como são. Vimos que os problemas emocionais do samsara são fantasticamente vívidos e óbvios, mas que os problemas emocionais do nirvana são ainda mais. Assim, quando os problemas emocionais do nirvana são superados, realmente estamos capacitados a tornar-nos uma pessoa nirvânica razoavelmente respeitável, e isso é uma coisa muito importante. Essa é a definição de gokpa, ou cessação, do verdadeiro ponto de vista hinayana. Tornamo-nos bons cidadãos hinayanas, alguém que atingiu verdadeiramente o estado da cessação.

11. Especialmente supremo

O décimo primeiro tópico é conhecido como especialmente supremo, ou extraordinário. Nesse nível, transcendemos ambos, o samsara e o nirvana. Não nos misturamos à neurose samsárica, mas também transcendemos o potencial da neurose nirvânica. Esse tópico parece ter sido inserido pelos seguidores do mahayana; todavia, como é parte da lista aceita por Jamgön Kongtrül em seu *Tesouro do Conhecimento*, é melhor que aceitemos isso. Nirvana significa permanecer na paz e na abertura, e samsara significa viver em nossa própria neurose. Ao alcançar o gokpa absoluto, especialmente a cessação suprema, finalmente temos a habilidade de refrear-nos de permanecer tanto tempo no samsara e também no nirvana. Esse tópico tem a cor do mahayana; a versão hinayana pura não menciona não permanecer no nirvana, uma vez que essa é sua meta.

12. Além do cálculo

O décimo segundo tópico é além do cálculo. Quando vivenciamos verdadeira e corretamente a cessação, damo-nos conta de que qualquer coisa que necessitava ser superada já foi superada. Alcançamos um estado de paz, relaxamento e abertura extremos, no qual não somos mais incomodados pelo mundo samsárico. O tópico inclui em si mesmo diversos aspectos adicionais do gokpa. Essas definições de gokpa não são categorizadas de uma maneira especial, mas aleatória.

RENÚNCIA. A primeira definição é renúncia. Já tendo renunciado, atingimos um estado em que não precisamos mais tentar renunciar a coisa alguma — já fizemos isso. É como alguém que deixou de fumar e não tem nenhum desejo de fumar mais cigarros; ou um alcoólatra que se tornou abstêmio sem desejo algum de beber. Renunciamos a seja lá o que for e alcançamos o estado de gokpa.

PURIFICAÇÃO COMPLETA. A definição seguinte é a de purificação completa. Não há problemas emocionais envolvidos nessa jornada para alcançar o estado de gokpa — tudo está purificado.

DESGASTE. O gokpa também tem sido chamado de "desgastado", ou processo de desgaste. É o desgaste das neuroses sutis e das neuroses óbvias, as duas ao mesmo tempo. Tudo é bem desgastado: é como uma espécie de falência de todos os níveis de neurose.

SITUAÇÃO DE DESAPAIXONADO. O gokpa é situação de desapaixonado, que é a definição básica de dharma.

CESSAÇÃO. Uma vez alcançado o estado de gokpa, já que não existe desejo ou agressão, há cessação. Mais precisamente, não há desejo de iniciar qualquer outro envolvimento no mundo samsárico.

PAZ COMPLETA. O gokpa é paz completa, o que se relaciona à ideia de energia. Não é como quando uma pessoa morre e escrevemos sobre sua lápide que ela partiu para seu repouso final, como na frase "Descanse em paz". Os budistas têm uma ideia diferente de paz, comparada com a que o mundo teísta pode ter. A paz é energética; ela possui uma força e energia tremendas. Na realidade, essa é a fonte de um senso de humor, que também é a definição de cessação.

ACOMODAMENTO. A última definição é a do que é conhecido como acomodamento ou estabelecimento, como o pôr do sol. Acomodar-se é abandonar a esperança, não se apegar à possibilidade do nascer do sol. Estamos abrindo mão inteiramente de todas as neuroses e dos problemas das onze possibilidades anteriores.

Ao examinar a visão da cessação e as várias definições de gokpa, precisamos saber como poderíamos usar esses conceitos e ideias. No geral, cessação significa transcender o tumulto e os problemas da vida, e a neurose que os acompanha. No entanto, esforçamo-nos tanto para transcender tudo isso, que somos incapazes de fazê-lo. Antes de mais nada, o próprio fato de tentarmos com tanto esforço é o que nos mete em confusão, desde o começo. Portanto, com respeito à cessação, definitivamente o ponto mais importante é o décimo primeiro, "especialmente supremo": a transcendência tanto do samsara como do nirvana. Ao transcender as duas possibilidades de confusão, do samsara e do nirvana, transcendemos a própria cessação, logo, não há terreno de base. Ao mesmo tempo, essa falta de terreno de base em si mesma poderia tornar-se uma expressão muito poderosa da cessação.

Podemos verdadeiramente alcançar a cessação se não temos envolvimento pessoal nela. No entanto, quando queremos observar nossa própria cessação, estamos simplesmente acionando a roda do samsara de novo, em nome da liberdade. Voltamos ao primeiro e segundo nidanas: à ignorância e à ação volitiva. Mas, quando já abandonamos qualquer estímulo de ego pessoal, qualquer conta bancária pessoal, começamos a obter a cessação correta. No longo prazo, esse seria nosso melhor investimento, mas parece ser um péssimo negócio, porque não temos nenhum contrato legal que nos proteja — nós já não existimos!

A QUARTA NOBRE VERDADE

A verdade do caminho

O caminho deve ser realizado

Capítulo 9

O caminho sem dúvidas

A natureza do caminho é mais como uma expedição ou exploração do que seguir uma estrada já construída. Quando as pessoas ouvem que deveriam seguir o caminho, elas podem pensar que existe um sistema pronto e que as expressões individuais não são necessárias. Podem pensar que não é preciso verdadeiramente abrir mão, dar ou abrir-se. Mas, quando começamos a efetivamente trilhar o caminho, damo-nos conta de que temos de limpar a floresta e remover todas as árvores, a submata e os obstáculos que crescem à nossa frente. Temos de desviar de tigres e elefantes, e de serpentes venenosas.

A quarta nobre verdade é a verdade do caminho. A natureza do caminho depende de nós: em certo sentido é nossa *iniciativa*, mas há instruções. O professor apresenta-nos instruções do tipo "faça você mesmo". Recebemos todo o equipamento e todas as atitudes necessárias; então somos enviados para a floresta e temos de viver com os meios de nosso kit de sobrevivência. No meio dessa floresta samsárica, temos de aprender a sobreviver e sair do outro lado.

A sequência do caminho

Quando iniciamos o caminho, encontramos a impermanência, o sofrimento, a vacuidade e a ausência do eu como um processo sequencial. Estes poderiam ser vistos como problemas ou como promessas, mas basicamente, quando viajamos pelo caminho, necessitamos saber o que esperar e o que superar.

A superação da ideia de eternidade

A primeira coisa a superar é a ideia de eternidade. No caso do caminho não teísta do dharma do Buda, buscar a eternidade poderia ser problemático; então, para transcender o conceito de eternidade, temos a sabedoria da impermanência. A sabedoria da impermanência aplica-se a qualquer coisa que esteja sujeita a tornar-se, a acontecer ou a ser agrupada. Tudo é muito transitório.

A superação da busca do prazer

A segunda coisa a ser superada é nossa busca constante de prazer. Nossa busca de prazer, seja ele simples ou complicado, é algo proeminente e contínuo. Está ligada ao problema do materialismo espiritual. A fim de superar esse obstáculo ao caminho, temos a máxima: "Porque tudo é impermanente, tudo é sempre penoso e sujeito ao sofrimento".

Compreender a possibilidade da vacuidade

Uma vez que há sofrimento, ocorre um senso de desolação quando começamos a dar-nos conta de que ambas as coisas que existem, fora e dentro de nós, estão sujeitas à impermanência e ao sofrimento. Damo-nos conta da possibilidade da vacuidade, a brecha do estado de ser nada — pura e simples vacuidade. As coisas são destituídas de essência e não existentes.

O encontro com a ausência do ego

Depois de ter-nos dado conta da vacuidade, também começamos a dar-nos conta de que não há ninguém para se aferrar a essa realização ou para festejar essa experiência. Deparamo-nos com a ausência do ego. O ego refere-se à ideia de *self* que sentimos sempre, uma sensação de centro. "Centrar-se" tornou-se um conceito popular no jargão da espiritualidade, mas não há menção a abrir mão ou entregar-se. É mais como ter dentro de nós um pequeno saco plástico — daqueles que carregamos quando levamos os cães para passear — para recolher nossos próprios resíduos. O problema com centrar-se é que estamos retornando a uma sensação de ser individual, em oposição a um centro destituído de egoísmo. Um centro que está muito cheio, demarcado, sólido e concreto, é o que chamamos ego.

Ao ter um sentido tão sólido da nossa condição de ser, já não temos um caminho. Mas, ao mesmo tempo, defrontar-nos com um problema desses significa que temos algo sobre o que trabalhar. Entretanto, o que o budismo está tentando dizer é que poderíamos fazer nosso trabalho de campo sem ter nenhum escritório de administração central, e não necessitamos de uma burocracia de técnicas meditativas. A dignidade não está baseada no eu e no outro, mas desce do céu sobre a terra — e, quanto mais abrimos mão, mais dignidade acontece.

As quatro qualidades do caminho

O caminho tem sido descrito como dotado de quatro qualidades: caminho, *insight*, prática e fruição. No conjunto, a natureza do caminho parece-se mais com uma expedição ou desbravamento do que com seguir uma estrada já construída. Quando as pessoas ouvem que deveriam seguir o caminho, elas podem pensar que existe um sistema pronto e que as expressões individuais não são necessárias. Podem pensar que não é preciso verdadeiramente abrir mão, dar ou abrir-se. Mas, quando começamos a efetivamente trilhar o caminho, damo-nos conta de que temos de limpar a floresta e remover todas as árvores, a submata e os obstáculos que crescem à nossa frente. Temos de desviar de tigres e elefantes, e de serpentes venenosas.

Compreender que efetivamente temos de abrir caminho através dessa floresta de caos samsárico pode ser um choque, mas um choque desses pode ser conveniente e bom. Se não entendemos essa qualidade do caminho e, em vez disso, sentimos que as bênçãos descem sobre nós sem nenhuma razão, não há por que haver um caminho. O caminho não seria mais uma jornada. Em vez disso, seria simplesmente como comprar nossa passagem, apresentar-nos para o embarque, despachar a bagagem e escolher o assento; depois nos sentaríamos e ficaríamos entediados; e, finalmente, ouviríamos alguém avisando que a jornada chegou ao fim e que já podemos desembarcar do veículo de transporte. Nessa abordagem, há um sentimento de ter sido enganado. Não acontece desenvolvimento algum. O caminho serve para duas coisas: desembaraçar-se dos obstáculos e desenvolver padrões ou qualidades especiais. É um trabalho muito duro.

*1. O caminho: a procura do significado verdadeiro da quididade**

A primeira qualidade do caminho é que de fato se trata de um caminho: é uma busca pelo significado real do dharma, o significado verdadeiro do estado de ser ou quididade. No entanto, não tentamos detalhar exatamente o estado de ser — e, se tentamos *não* o detalhar, já estamos fazendo isso. Mas isso está indo além do hinayana, tornando-se mais próximo do Zen. Na terminologia

* Em inglês, *suchness*. (N. do T.)

anglo-budista que se desenvolveu, os termos *suchness* ["quididade" e também "talidade"] e *isness* ["estado de ser" ou "condição de ser"] referem-se a algo que está completa e verdadeiramente aqui. Isso está ligado à redescoberta da natureza búdica.

2. Insight: *transcender a neurose por meio da clareza*

A segunda qualidade do caminho é a de ser um caminho de *insight*. A jornada que estamos decididos a realizar e a disciplina que estamos praticando estão fundamentadas tanto na prática da meditação sentada como na experiência da vida cotidiana. Supomos que ambas são auxílios para transcender as neuroses, mas parece ser necessário aplicar nisso nossa mente e nosso esforço. Isso poderá parecer uma abordagem um tanto orientada para metas, mas no nível do hinayana, não há outra escolha. A prática da meditação sentada está baseada na disciplina do shamatha, que fornece uma claridade imensa e uma habilidade para relacionar-nos com as situações de uma maneira muito inteira, precisa e completa. Qualquer neurose que aflore torna-se extremamente visível e clara — e, cada vez que certa neurose emerge, de acordo com o momento, a própria neurose torna-se porta-voz para o desenvolvimento de clareza adicional. Assim, a neurose serve a duas finalidades: mostrar o caminho e mostrar sua própria qualidade suicida. Isso é o que se conhece como *insight*, conhecer a natureza dos dharmas tais como eles são.

3. *Prática: associar-se com a sanidade fundamental*

A terceira qualidade do caminho é conhecida como prática. A prática capacita-nos a entender as concepções erradas com relação ao dharma, como o eternalismo e o niilismo. Uma vez capazes de identificar-nos com a meditação sentada, familiarizados com essa experiência em especial, descobriremos que a prática da meditação sentada não é uma competição de resistência ou uma maneira de demonstrar quem é um bom garoto ou garota. Em vez disso, a prática da meditação trata de como alguém pode se tornar uma rocha ou um oceano — uma rocha viva ou um oceano vivo.

Com a meditação sentada, podemos absorver uma porção de coisas e podemos rejeitar uma porção de outras; não obstante, as coisas não mudam de maneira especial. Trata-se de uma abordagem da vida em maior escala. Em situações comuns podemos pensar que somos tão sofisticados e que sabemos o que estamos fazendo. Em nossa vida doméstica, podemos achar que temos tudo sob controle. Sabemos como reservar passagens para um voo, ou pegar carona para atravessar o país, e temos solução para tudo. De qualquer maneira, embora possamos pensar que temos tudo sob controle — ou quem sabe não pensamos assim, mas gostaríamos que assim fosse —, ainda há muitas pontas soltas. Não podemos cuidar dessas pontas soltas simplesmente fazendo uma lista completa. Nossa lista ficaria tão grande que finalmente não poderíamos lidar com ela sem despender cada vez mais energia.

Em contraste com isso, na prática da meditação, a pessoa se torna como uma rocha, como um oceano. Não é necessário percorrer qualquer lista; *somos* daquela maneira, simplesmente, estamos apenas *sendo*. Nós nos filtramos ou nos congelamos à nossa própria maneira. Apenas somos assim. Não é especialmente gratificante, mas há um sentido de satisfação, de clareza e de imensa dignidade. Por meio da prática da meditação, ligamo-nos com a sanidade fundamental, que acontece continuamente. Então, a prática desempenha um papel muito importante.

4. Fruição: o nirvana permanente

A quarta qualidade do caminho é a fruição. Na abordagem hinayana da vida, fruição é a ideia de um nirvana permanente. Nirvana permanente quer dizer que aprendemos a lição da neurose e dos truques que ela aplica sobre nós o tempo todo, tirando vantagem de nossa fraqueza. Uma vez aprendida essa lição, é bem provável que não façamos a mesma coisa outra vez. É também assim com nossos padrões habituais, a menos que sejamos maníacos.

Nesse ponto, embora tenhamos aprendido nossa lição, pequenos padrões habituais comuns ainda nos arrastam de volta repetidamente. Esses pequenos hábitos, embora se assemelhem aos erros em grande escala, não são tão problemáticos. A ideia de fruição é que não continuaremos cometendo enganos em grande escala — como querer ser salvos ou querer estar em um estado de perfeita felicidade, inconscientes do que se passa ao redor, ou querer conceder-nos todo tipo de satisfação. Aprendemos com nossos enganos, portanto, não cometemos o mesmo engano duas vezes.

Se houver uma compreensão completa da natureza do caminho, parecerá que este é um caminho sem dúvidas. Mas isso não quer dizer que não se questione nada. Questionar está de acordo com o caminho sem dúvidas; dentro desse caminho, a dúvida é parte da metodologia e o questionamento é necessário. A pessoa não deveria ser demasiadamente crédula. É muito bom que haja uma suspeita constante — esse é um ponto de destaque, como uma estrela de Davi —, mas, ao mesmo tempo, o caminho transcende todas as dúvidas. A fruição é saber que finalmente temos uma direção, a despeito de todos os pequenos desvarios que ocorrem o tempo todo. Não dizemos mais coisas como: "Bem, esse caminho é melhor do que outros, mas alguma outra coisa pode ser ainda melhor e mais agradável", porque fomos além da ideia de prazer e também ultrapassamos a ideia de eternidade e a condição confortável e autoajustada do ego. Tudo foi transcendido.

Capítulo 10

Os cinco caminhos

O caminho não existe realmente a menos que estejamos disponíveis. É como se fôssemos o operário que trabalha na construção da estrada, o topógrafo e o viajante, tudo ao mesmo tempo. À medida que progredimos ao longo da estrada, ela vai sendo construída, o levantamento topográfico e a locação vão sendo feitos e nós nos tornamos viajantes.

Do ponto de vista dos praticantes, há uma ligação interessante entre a primeira e a última nobres verdades: a primeira nobre verdade poderia ser descrita como o terreno de base sobre o qual está alicerçada a quarta nobre verdade. Isto é, a realização do sofrimento gera uma compreensão e uma descoberta do caminho. O problema com a palavra *caminho* é que pensamos automaticamente que a estrada foi construída e a rodovia, aberta ao tráfego, de maneira que podemos fazer uma viagem sem paradas. Quando se tem um caminho, há a possibilidade de assumirmos uma atitude confortável, pensando: como o caminho já foi determinado, não é preciso escolher qual caminho tomar. No entanto, há simplesmente *o* caminho. Essa atitude parece ser produto de um mal-entendido ou covardia por parte do estudante. De fato, o caminho não existe realmente a menos que estejamos disponíveis. É como se fôssemos o operário que trabalha na construção da estrada, o topógrafo e o viajante, tudo ao mesmo tempo. À medida que progredimos ao longo da estrada, ela vai sendo construída, o levantamento topográfico e a locação vão sendo feitos e nós nos tornamos viajantes.

Há outro tipo de caminho que *já foi construído* para nós. É aquele chamado de "caminho geral" ou "caminho comum", a respeito do qual já devemos ter conhecimento. Em geral, caminho, valores e moralidade já foram desenvolvidos, tais como as virtudes da democracia, a ideia de um homem bom ou uma mulher boa, ou a pureza do assistente social — apenas nos inscrevemos, tornamo-nos membros e vamos trabalhar. O caminho do senso comum diz que é bom ser gentil, que bons modos sempre funcionam e que pessoas de bom coração são sempre bem-amadas. Isso pode incluir ensinamentos budistas como: "Controle seus sentidos, controle sua mente, conheça a si mesmo". No caminho espiritual comum, há uma ênfase em alcançar uma elevação psicológica, tornar-se um meditador consumado. Concentrando-nos em uma vela acesa, poderemos desenvolver a concentração, alcançar um estado de *samadhi* e ter a experiência da Unidade, o reino dos deuses.

O caminho comum não é tão preciso e profundo como o caminho budista, mas não é, de forma alguma, objeto de zombaria. Como budistas, também seguimos regras e regulamentos comuns. Por exemplo, não furtamos em lojas, e sim pagamos as coisas que compramos. No entanto, no que diz respeito ao dharma, essas normas são apenas acessórias e não o objeto principal de nossa concentração. Muitas escrituras e até mesmo sutras falam sobre o caminho comum como o ponto de partida para os estudantes que estão no começo. Para estudantes que veem o mundo de uma maneira muito ingênua e têm atitudes ingênuas em relação à espiritualidade, a bondade é a questão importante, os estados eufóricos de samadhi são a questão importante; por isso, tentam cultivar essas coisas. Porém, do ponto de vista budista, isso é viver no *devaloka*, o reino dos deuses. Ao cultivar as absorções meditativas, ou os estados de jhana, estamos valorizando a propaganda em vez de entrar mesmo, de todo o coração, no caminho. O extraordinário na abordagem budista é que essa atitude convencional é considerada desnecessária. No caminho budista, em vez de tentar cultivar os estados de jhana, vamos diretamente à mente — uma mente que está desenvolvendo sua consciência plena, sua abertura, sua dor, ou o que seja.

O caminho tem muitas etapas. No início, constitui-se de uma série de passos; depois se torna uma estrada e, finalmente, uma rodovia. No começo, o caminho é apenas uma senda, uma trilha. Temos de restringir-nos e domar-nos muito mais no início do que no final. Temos de desenvolver um sentido de renúncia. Se saímos de casa e entramos em uma limusine luxuosa e dirigimos ao longo da estrada, não haverá uma sensação de viagem, nenhuma sensação de doação. Por isso, a renúncia é extremamente importante. Temos de renunciar à nossa casa — ao nosso mundo samsárico, acolhedor e confortável.

Há dois tipos de renúncia: tornar-se genuíno e contentamento. Em tibetano, o primeiro tipo de renúncia é *ngejung*: *nge* significa "real" ou "genuíno", e *jung* quer dizer "tornar(-se)" ou "acontecer"; então, *ngejung* é "tornar-se real". A renúncia é verdadeira, real, explícita. Estamos desgostosos com o mundo samsárico em que temos vivido, aborrecidos com ele. O segundo tipo de renúncia é um sentido de contentamento, ou *chok-she*, em tibetano. *Chok* significa "contentamento", "satisfação" ou "suficiente", e *she* quer dizer "conhecimento". Sabemos que as coisas são suficientes tais como são. Não fazemos exigências adicionais e não insistimos em ter todas as amenidades locais, mas estamos satisfeitos em viver na pobreza. No entanto, isso não se refere à pobreza psicológica, pois os praticantes deveriam ter um senso de generosidade e riqueza.

Tradicionalmente há cinco caminhos: caminho da acumulação, caminho da unificação, caminho de ver, caminho da meditação e caminho de não mais aprender.[1]

1. O caminho da acumulação

O caminho da acumulação baseia-se em familiarizar-se com os ensinamentos e com o professor. Dedicamos muito esforço e trabalho para aprender os ensinamentos. É o nível da pessoa leiga ou principiante. Os ensinamentos são novidade e ainda não somos meditadores consumados, então começamos o caminho todo desde o início — mas começar do início é uma boa maneira de começar. Não é preciso voltar ao caminho comum, mas isso não quer dizer que nos comportamos contra a lei comum ou que nos tornemos criminosos, ou algo dessa natureza. Em vez disso, nossa atitude é muito direta e simples. Embora sejamos principiantes, nossa abordagem do caminho não é baseada na lei convencional de bondade ou maldade. No caminho do dharma, comportar-se bem ou transformar-se numa boa pessoa não é o ponto importante. O tema da virtude ou da perversidade não pertence em especial ao reino do dharma. O dharma tem a ver com sanidade, com os temas da clareza e da confusão. O dharma é orientado mais psicologicamente do que por padrões de comportamento.

O primeiro caminho, o da acumulação, consiste em encontrar ponto de apoio nos ensinamentos como leigos. Tendo encontrado esse ponto de apoio nos ensinamentos, começamos a empreender a jornada para cima. Em tibetano, o caminho da acumulação é *tsog-lam*. *Tsog* (ou *tsok*) significa "grupo", "coleção" ou "reunião";

lam quer dizer “caminho”. No caminho da acumulação trabalhamos com nós mesmos e estamos inspirados a fazer sacrifícios. Acumulamos bons méritos ao desenvolver uma boa atitude e ao fazer boas ações. Cultivamos a simplicidade e o sacrifício.

No caminho da acumulação aprendemos a sacrificar nossa mente; isto é, a não nos entregar aos nossos processos de pensamentos ou a nossa tagarelice subconsciente. Abrimos mão disso por meio da disciplina muito básica e comum da prática do shamatha. Geralmente, sempre que temos uma ideia brilhante sobre como nos ocupar de algo, sempre que temos *qualquer* tipo de desejo, tentamos automaticamente passar para uma segunda etapa. Gostaríamos de assaltar o refrigerador, por assim dizer. Queremos suco de maçã, suco de laranja, ricota, água gelada — qualquer coisa para evitar o tédio. Com o shamatha, descobrimos que não precisamos tirar conclusões precipitadas ou agir por impulso. Todos esses impulsos são mutuamente neutralizados pelo processo da disciplina mental.

O mantra da experiência

Uma das práticas no caminho da acumulação é chamada “mantra da experiência”. Nessa prática, repetimos as quatro nobres verdades de quatro maneiras diferentes, ou recitamos os chamados “dezesseis encantamentos”. A razão para recitar o mantra da experiência é aumentar nosso senso de identificação com a prática e os ensinamentos aprendidos. Construir convicção real, ou *ngepar shepa*. *Ngepar shepa* não é apenas convicção comum, mas convicção real, saber algo completa e profundamente. No nível do caminho da acumulação, estamos orgulhosos por ser a primeira vez que ouvimos as quatro nobres verdades em seu significado absoluto. Embora haja intenso orgulho, ele ainda é subdesenvolvido, então, a ideia de recitar os dezesseis encantamentos é fortalecer nossa identificação com os ensinamentos.

Praticar o mantra da experiência corta pela raiz o nascimento nos reinos inferiores e, como tal, é muito importante e profundo. Ao recitar esse encantamento, estamos mudando nossa conceitualização, aproximando-a da verdade. Uma das belezas dos ensinamentos hinayana é que não estamos procurando uma meta mais elevada, estamos simplesmente manipulando nossa confusão de maneira mais sábia. Começamos assim a sentir-nos mais próximos da liberdade. De fato começamos a ver uma alternativa ao samsara.

Recitar o mantra da experiência não tem nada a ver com magia ou com acalmar a mente; simplesmente, quanto mais refletimos sobre o assunto, mais nos convencemos de sua verdade. É uma forma de lavagem cerebral, mas o cérebro do qual nos desfazemos com essa lavagem é o ego. Ao recitar o mantra, toda a existência se torna uma manifestação da verdade ou liberação, e poderíamos nos identificar com ela como uma totalidade.

O primeiro conjunto de encantamentos é: a verdade do sofrimento deveria ser entendida; a origem do sofrimento deveria ser evitada; a meta deveria ser alcançada; o caminho deveria ser cumprido.[2]

O segundo conjunto de encantamentos é: o sofrimento deveria ser compreendido como impermanente; a origem do sofrimento deveria ser compreendida como impermanente; a meta deveria ser compreendida como impermanente; o caminho deveria ser compreendido como impermanente.

O terceiro conjunto de encantamentos é: o sofrimento deveria ser visto com clareza; a origem do sofrimento deveria ser vista com clareza; a meta deveria ser vista com clareza; o caminho deveria ser visto com clareza.

O quarto conjunto de encantamentos é: sem sofrimento; sem origem do sofrimento; sem meta; sem caminho.

O primeiro conjunto familiariza-nos com a lógica básica das quatro nobres verdades. No segundo conjunto descobrimos que as quatro nobres verdades não permitem que desenvolvamos segurança, pois todas elas são apenas experiência transitória. Com o terceiro conjunto, tendo entendido a natureza transitória dessa experiência, desenvolvemos uma identificação pessoal com essas verdades. Elas deveriam ser entendidas clara e corretamente. O quarto conjunto de encantamentos é que, de fato, o único requisito para trabalhar com nós mesmos é suprimir o sofrimento, a origem do sofrimento, a meta e o caminho. Portanto, não há sofrimento, nem origem, nem meta, nem caminho. Essa é a declaração final da experiência do vipashyana: deveríamos cortar a confusão completamente pela raiz.

Unir a verdade relativa e a absoluta

Quando praticamos a disciplina do shamatha, começamos a ver que nossa mente está cheia de coisas. Mas, quando examinamos nossa paixão, nossos apegos e nosso desejo por todo tipo de coisas, vemos que são basicamente atividades inferiores — apenas padrões de pensamentos, castelos de areia, tigres de papel. Vemos que, se chafurdarmos em nossa própria letargia e estupidez, também não encontraremos abrigo ou conforto. Quando não nos deixamos mais levar por nossos próprios padrões habituais de pensamento, começamos a desenvolver disciplina e atenção plena.

No caminho da acumulação, nossa experiência dos processos mentais se torna muito real. Paixão, agressão, ignorância e todas as atividades mentais subconscientes que acontecem em nossa mente se tornam muito comuns e compreensíveis. Isso conduz à realização de *kündzop*, ou verdade relativa. Quando nos relacionamos com a verdade relativa, não nos chocamos mais com nossa mente. Começamos a perceber a simplicidade e a realidade das coisas. Quando nos sentamos na almofada e meditamos, deparamos com todo tipo de padrões de pensamentos e desejos. Quer estejamos relendo nossa autobiografia, por assim dizer, descobrindo toda espécie de escolhas, pensando se deveríamos ir embora ou se deveríamos ficar — tudo isso está incluído na verdade relativa de nossos padrões de pensamento.

Quando nos sentamos e meditamos, começamos a dar-nos conta do que é conhecido como transparência e impermanência do tempo e do espaço. Notamos quanto estamos obcecados por nossas pequenas coisas. Entendemos também que não podemos tomá-las e sobre elas construir uma casa. Nem mesmo podemos estabelecer os alicerces. Tudo se move sob nossos pés ou debaixo de nosso assento. O tapete é completamente puxado sob nossos pés, apenas a partir dessa experiência de trabalharmos com nós próprios. Ninguém está puxando, mas sentimos que o tapete se move constantemente. Começamos a sentir que nós mesmos estamos nos movendo.

Quando percebemos que não podemos, de modo algum, capturar os fenômenos, chegamos ao que se conhece como *töndam*, ou "verdade absoluta". O fato de não podermos nos iludir tem em si uma qualidade absoluta. Podemos tentar iludir nosso professor que nos diz para sentar e meditar; e podemos achar que podemos iludir o dharma, que diz: "Vá, sente-se para meditar. Esse é o único meio". Mas não podemos iludir a nós próprios. Não podemos iludir nossa essência. O solo sobre o qual nos sentamos não pode ser enganado. Essa é a verdade dupla do kündzop e do töndam. Quando reunimos kündzop e töndam e eles se tornam uma unidade, é possível fazer com que as coisas possam ser trabalhadas. Não estamos totalmente no lado do töndam, ou nos tornaríamos uma pessoa por demais teórica; não estamos totalmente no lado do kündzop, ou nos tornaríamos uma pessoa excessivamente precisa. Quando os reunimos, começamos a perceber que não há problema. A combinação de kündzop e töndam funciona porque é simples e dinâmica. Temos água quente e fria juntas, então, podemos tomar uma ducha verdadeiramente boa. Assim, kündzop e töndam são ambos muito importantes; não podemos nos fixar em nenhum deles separadamente. Finalmente, por meio da experiência de combinar kündzop e töndam no caminho da acumulação, desenvolvemos um sentido de renúncia, de simplicidade, de satisfação e de contentamento na prática. Esse é o primeiro dos cinco caminhos, o caminho da acumulação.

2. O caminho da unificação

O segundo caminho é o caminho da unificação, em que nossos atos e nosso estado psicológico começam a trabalhar juntos. Quando nos sentamos para meditar, começamos a desenvolver um vislumbre de sanidade, um vislumbre do caminho do bodhisattva. O segundo caminho é chamado de caminho da unificação (em tibetano: *jor-lam*), porque unimos nossa mente, nosso corpo e todos os esforços. Há cinco categorias: fé, esforço/empenho, rememoração, concentração plena ou unipontual e intelecto.

Fé

A primeira categoria é *tepa*, que significa "fé". Sentimo-nos muito estáveis e confiantes no que fizemos até agora. Apreciamos o que fizemos. Nós nos damos conta do que deveria ser evitado e do que deveria ser cultivado. Isto é, a tagarelice subconsciente e o apego deveriam ser evitados; a estabilidade da mente deveria ser cultivada. Tepa também envolve grande prazer. Damo-nos conta de que não estamos no escuro no que diz respeito a nossa prática. Conhecemos em linhas gerais as instruções para alcançar nosso objetivo, e sabemos onde estamos e para onde estamos indo.

Empenho

A segunda categoria é *tsöndrü*, ou "esforço". Quando nos damos conta do que estávamos fazendo, desenvolvemos confiança. Damo-nos conta da essência de ser ou da quididade da verdade que nos contaram. Experimentamos um sentido de elevação como resultado da disciplina do shamatha e, a partir disso, desenvolvemos ainda mais esforço. Se nos servem um prato de que gostamos, gostamos do cozinheiro e do restaurante, e não nos importamos em comer esse prato uma segunda, terceira ou quarta vez, porque sabemos que vai ser bom. Há uma sensação de grande prazer em voltar repetidamente ao mesmo restaurante. De maneira semelhante, esforço não significa dar o máximo de si; significa apreciação. A apreciação faz com que as coisas deem mais e mais satisfação; e quando gostamos de algo, fazemos isso repetidamente, mesmo que envolva um tremendo esforço. No caminho da unificação, nossa prática do shamatha está se tornando prazerosa, de modo que fazemos isso repetidas vezes, eternamente.

Rememoração

A terceira categoria do caminho da unificação é *trenpa*, que significa "rememoração", literalmente. Rememoração significa que o que fizemos e o que vivenciamos não foram esquecidos, mas permanecem como parte da consciência e da atenção plena. Há um sentido de respeito e apreciação genuína por aquilo que recebemos e pelo que estamos fazendo. Rememoração significa vivenciar o que fizemos, que é nossa prática; e o que somos, que é nosso estado mental. A rememoração é muito desperta e precisa. Se alguém nos diz que às cinco horas temos uma tarefa rotineira na cozinha, é muito simples: nossa tarefa na cozinha, às cinco horas, é algo muito simples: simplesmente a executamos. Não há nenhum problema nisso.

Em oposição, a memória poderia estar baseada na nostalgia pelo samsara. Por exemplo, poderíamos ter tido uma briga feia e, lembrando dela, de alguma maneira pervertida, somos capazes de conservar todo nosso ser. Também poderíamos nos abandonar a uma nostalgia da bondade, como uma espécie de orgia psicológica. Tais recordações começam a não nos dar folga, razão pela qual não temos a oportunidade de ser precisos e claros.

Concentração plena ou unipontual

A quarta categoria, *tingdzin*, que significa "meditação" ou "samadhi", nesse caso se refere à unipontualidade. Nunca perdemos de vista coisa alguma; desenvolvemos uma consciência tremenda. A mente torna-se muito focada, muito precisa. Apreciamos as percepções sensoriais, mas não caímos na armadilha delas, elas não criam problemas samsáricos, kármicos. Porque somos capazes de perceber, apreciar e concentrar a mente unipontualmente, desenvolvemos um senso de compostura.

Intelecto

A quinta categoria é *sherap*, ou, em sânscrito, prajna, que nesse contexto significa "intelecto". Sabemos como ver as coisas, como separar as várias experiências. Ainda pode haver agitações ocasionais — experiências de satisfação ou êxito e experiências de obstáculos e dúvidas —, mas podemos separar com clareza o que deveria ser evitado daquilo que deveria ser cultivado. Há as duas: a clareza e a discriminação.

Por meio dessas cinco categorias do caminho da unificação, somos capazes de manter tudo junto, como se estivéssemos defendendo o forte. Não experimentamos caos algum; em vez disso, começamos a sentir que tudo faz sentido. É por essa razão que esse caminho é conhecido como o caminho da unificação.

3. O caminho de ver

Nesse caminho desenvolvemos mais clareza para distinguir ou discriminar as diferentes abordagens da realidade de acordo com o dharma do Buda. Em tibetano, o caminho de ver é *thong-lam*. *Thong* significa "ver", e *lam*, novamente, é "caminho". O caminho de ver está em um nível muito mais avançado do que o caminho da unificação. Começamos a ver como o caminho funciona e como deveria ser aplicado a nós mesmos.

Os sete membros da iluminação

No caminho de ver há sete categorias conhecidas como os sete membros da iluminação, ou *bodhi*: rememoração, separar os dharmas, esforço, alegria, ser completamente treinado, samadhi e equilíbrio. Em tibetano isso é chamado *changchup yenlak dün*. *Changchup* é "iluminação", *yenlak* é "membro," e *dün* é "sete".

REMEMORAÇÃO. O primeiro dos sete membros é *trenpa*, ou rememoração (que ocorreu anteriormente como a terceira categoria do caminho da unificação). Rememorar significa não esquecer o caminho de ver, o sentido de visão para a frente. Não ficamos em um lugar, tentando ser um idoso devotado. Em vez disso, desenvolvemos mais ambição, não no sentido negativo, mas no sentido de ir para a frente. Essa ambição é desencadeada pela lembrança ou rememoração.

SEPARAÇÃO DOS DHARMAS. O segundo membro relaciona-se com *sherap*, ou intelecto. Como no caminho anterior, há um senso de discriminação, uma separação de dharmas e uma compreensão da condição de ser das coisas. Não há incerteza sobre a experiência. Em cada um dos caminhos necessitamos de sherap, que está associado com sermos efetivamente capazes de abrir-nos. No caminho da unificação, a prajna era parcial, algo embriônica, mas, no caminho de ver, ela está mais próxima da prajna completa. Contudo, isso ainda não é nada como o conhecimento perfeito do nível da *paramita*, que é muito superior.[3]

ESFORÇO. O terceiro membro é *tsöndrü*, esforço, que nesse caso tem um significado um pouco diferente do anterior. Ao cultivar uma constante expansão da visão no caminho de ver, nunca desistimos, nunca nos acomodamos à situação ao alcance da mão. Temos a ambição positiva da visão para a frente.

DELEITE. O quarto membro é *gawa*, que significa "grande prazer". Somos capazes de cuidar do corpo e da mente. Essa não é uma situação em que a mente se encontra altamente desenvolvida, mas o corpo está se deteriorando, ou o corpo está bem cuidado, mas a mente está deteriorando. Ao contrário, corpo e mente estão sincronizados, bem ligados. Os inconvenientes samsáricos de lidar com mente e corpo começam a ficar menos intensos. Somos capazes de tomar conta completamente de corpo e mente, logo, desenvolvemos um senso de saúde. Sabemos como evitar inconvenientes desnecessários: não juntamos mais lixo, em nome tanto da mente como do corpo. O prazer da simplicidade começa a desenvolver-se, juntamente com um senso de precisão, autenticidade e obviedade.

SER COMPLETAMENTE TREINADO. O quinto membro, *shinjang*, significa ser completamente apaziguado ou treinado. Corpo e mente estão completamente relaxados. Como resultado da prática do shamatha, mente e corpo estão domados, treinados e se desenvolveram. Há um tremendo senso de humor e relaxamento, e um senso de abertura, gentileza e bondade. Começamos a sentir o efeito de nossa prática. Ela começa a funcionar e nos sentimos positivos. É como sair de um banho de vapor: os músculos se relaxaram; sentimo-nos muito saudáveis.

SAMADHI. O sexto membro é *tingdzin*, que significa "samadhi" ou "unipontualidade". Estamos focados, concentrados em um só ponto e, ao mesmo tempo, somos humildes. A despeito de nossas realizações, nunca ficamos ensoberbados.

EQUILÍBRIO. O sétimo e derradeiro membro é *tang-nyom*, que significa "equilíbrio". Não estamos sujeitos à morosidade ou à preguiça, e também estamos livres da mente divagadora e excitável. Uma sensação de serenidade ocorre o tempo todo. Não estamos nem perturbados nem completamente adormecidos. Deve ficar bem claro que equilíbrio não quer dizer ficar como uma água-viva ou um macaco sereno. Neste caso, temos o comando sobre o mundo todo. Temos uma enorme confiança ao lidar com o mundo; portanto, não precisamos forçar nada, seja positiva ou negativamente. Não temos de insistir ou exagerar nada.

Isso encerra os sete membros da bodhi, as sete categorias do caminho de ver.

4. O caminho da meditação

O quarto caminho é chamado caminho da meditação, *gom-lam*. Tradicionalmente, *gom* quer dizer "pensar a respeito"; em termos budistas, significa "meditar". Na tradição não teísta, meditação significa apenas meditação, em vez de meditação sobre qualquer coisa, e *lam*, de novo, quer dizer "caminho". No caminho da meditação, nosso estilo começa a ficar mais próximo do estilo iluminado do que do neurótico.

No caminho da meditação, começamos a reduzir o karma. O karma baseia-se na ignorância fundamental. Sempre que existem dois, nós e o outro, isso já é o começo de uma situação kármica. Quando não só temos nós e o outro, mas começamos a elaborar sobre isso, estamos no nível do segundo nidana, *samskara* (formação). Começamos a girar a roda do karma.

A ignorância fundamental é pré-dual. Na frase "eu sou", a ignorância pré-dual é pré-"sou", é a etapa do "eu". A dualidade ainda não existe, portanto, chamá-la de não dualista seria queimar a largada.* Embora não haja dualidade, ainda existe, contudo, uma falsa sensação de quididade ou daquilo que é. Há uma espécie de sensação anti-shunyata de existência ou plenitude, que deve ser erradicada.

Embora a ignorância fundamental comece a ser eliminada no caminho da meditação, neste ponto ela não foi completamente erradicada. Temos de cortar as consequências do karma, mas

* Em inglês, *jumping the gun*, uma expressão idiomática que quer dizer exatamente isto: "largar antes de ouvir o tiro de largada do juiz".

não suas causas. Quando cortamos ambas, as consequências e as causas — toda a situação kármica —, esse é o caminho do não mais aprender, que é a iluminação.

O nobre caminho óctuplo

Há oito categorias no caminho da meditação, que são conhecidas coletivamente como o nobre caminho óctuplo.[4] Os oito membros do nobre caminho são: visão perfeita, compreensão perfeita, fala perfeita, fim perfeito do karma, meio de vida perfeito, esforço perfeito, rememoração perfeita e meditação perfeita. No nível do caminho da visão, começamos a ver, e agora somos capazes de enxergar algum resultado. Todo o nosso ser foi completamente treinado física e psicologicamente, e no que diz respeito a trabalhar com os outros.

VISÃO PERFEITA. O primeiro membro do nobre caminho é *yangdak tawa*. *Yangdak* quer dizer "perfeito", e *tawa* é "visão". Assim, *yangdak tawa* significa "visão perfeita". Acrescentamos *yangdak*, ou *perfeito*, a todos os oito membros. Visão perfeita significa que somos capazes de ir além das absorções e visões fixas de nossas experiências anteriores, que poderão ter feito com que ficássemos um pouco sonolentos e teóricos. No nível do caminho da visão, podemos ter sido capazes de observar a verdade absoluta, mas tawa verdadeiramente nos capacita a ver através. "Visão" não significa visão boa ou má, mas simplesmente entender as coisas como elas são. Somos capazes de ir além e de analisar e teorizar no sentido positivo. Isso não quer dizer que sejamos um erudito ou psicólogo, mas somos capazes de ver as diferenças entre o primeiro, o segundo e o terceiro caminhos. Somos capazes de ver como as coisas funcionam geográfica e cronologicamente. Neste ponto, porque conseguimos ver além das coisas, ficamos menos dependentes de nosso mestre ou instrutor. O instrutor é sábio e culto, brilhante e compassivo, mas não precisamos depender dele ou dela. Somos capazes de ver além por nós próprios; portanto, tornamo-nos um tanto independentes.

COMPREENSÃO PERFEITA. O segundo membro é *yangdak tokpa*, "compreensão perfeita", ou "realização perfeita". Aprendemos como relaxar. Com base no que vivenciamos, não há questionamentos nem dúvida. Entendemos e apreciamos o que entendemos; portanto, aprendemos como relaxar e abrir mão de nós mesmos.

FALA PERFEITA. O terceiro membro é *yangdak ngak*, "fala perfeita". Encontramos um meio de expressar-nos completa e profundamente — como somos, por que somos, o que somos — sem ser arrogantes, agressivos ou demasiadamente humildes. Aprendemos como ser moderados ao apresentar-nos. *Ngak*, "fala", não se refere simplesmente a como falamos, mas também a como nos refletimos no mundo — nossa conduta ou nosso decoro em geral. Podemos nos tornar uma pessoa razoável, decente e iluminada.

FIM PERFEITO DO KARMA. O quarto membro é *yangdak le kyi tha*, que significa literalmente o perfeito "fim do karma". *Tha* quer dizer "fim", *kyi* é "de", *le* significa "karma". Começamos a entender de maneira súbita, precisa e completa como prevenir causas e resultados kármicos. O fim do karma significa que poderemos voltar uma ou duas vezes ao mundo porque nossa situação kármica imediata não foi ainda ultrapassada; no entanto, nosso karma anterior já foi ultrapassado por meio de uma visão perfeita, de uma compreensão perfeita e de uma fala perfeita. Nossos padrões habituais e todo o nosso comportamento começam a ser mais precisos, mais iluminados. Ao comportar-nos naturalmente, somos capazes de cortar caminho para além do karma e das consequências kármicas.

No processo de ir além do karma, estamos lidando constantemente com a ignorância, o primeiro *nidana*. Já que as ações volitivas são movidas pela ignorância, se formos capazes de ir além dessa ignorância, interromperemos o curso das ações volitivas. Podemos fazer isso porque, no que diz respeito ao caminho da meditação, nosso estilo de relacionar-nos com o dharma se torna muito natural e instintivo. Em comparação, o estilo das ações volitivas é que estamos sempre olhando para a frente, em busca da próxima cenoura. Vemos a cenoura como algo distante (de nós) e nos preparamos para correr daqui para lá, de onde estamos até a cenoura. Ao fazer isso, aumentamos o karma ainda mais; e, quando chegamos lá, terminamos por ficar com a próxima causa kármica. Assim, acabamos com uma grande quantidade de karma adicional — e criamos a cenoura também! Nunca dizemos isso no mundo samsárico, mas podemos dizê-lo no mundo iluminado.

Para reduzir o karma, repulsa e renúncia são consideradas importantes. Embora colocar a cenoura à nossa frente seja um belo truque, sabemos que não deveríamos fazer isso. Ao renunciar a fazer isso novamente, somos capazes de cortar o segundo *nidana*, que é *samskara*, ou a acumulação impulsiva. Nesse ponto, estamos nos tornando tão altamente treinados nisso, que mesmo que implantemos uma promessa kármica em outra pessoa, seremos capazes de também atravessar sua causa e seu efeito kármicos.

MEIO DE VIDA PERFEITO. O quinto membro é *yangdak tsowa*, que significa meio de vida perfeito. Porque somos capazes de lidar com as causas e os efeitos kármicos, também podemos ter uma ligação profunda e plena com nossa vida e nosso meio de vida. Não temos de depender dos outros. Temos habilidades suficientes para dar conta de nosso meio de vida.

ESFORÇO PERFEITO. O sexto membro é *yangdak tsölwa*, que significa esforço perfeito. Isso tem o sentido de não nos preservarmos, mas de empenhar-nos. Temos uma energia tremenda. Cultivamos energia genuína, trabalhando com nós próprios e trabalhando com outros. Na medida em que progredimos de um caminho para o outro, desenvolvemos cada vez mais esforço, cada vez mais dedicação. Começamos a transformar-nos em uma pessoa decente, não mais um estorvo.

REMEMORAÇÃO PERFEITA. O sétimo membro é *yangdak trenpa*, "rememoração perfeita". Como antes, trenpa se refere a um senso de atenção plena, ou mente unipontual, e à rememoração de nossas experiências anteriores.

MEDITAÇÃO PERFEITA. O oitavo e último membro do caminho nobre é *yangdak tingdzin*, ou "meditação perfeita": nesse contexto, *tingdzin* quer dizer que somos capazes de entrar em certos samadhis. Começamos a olhar para a frente, na direção da ideia de iluminação. Nesse ponto, podemos ser capazes de ir completamente além do ego bipartite (ego do *self* e ego dos dharmas).[5]

5. O caminho de não mais aprender

O caminho final é o caminho de não mais aprender, que é atingir a iluminação. Em tibetano é *mi-lop-lam*. Já que, no nível do hinayana, temos somente uma ideia muito grosseira sobre como ocorre a iluminação, o quinto caminho inclui o restante do caminho mahayana e o alcance da iluminação.

A progressão no caminho

Os cinco caminhos, que são muito complicados e complexos, foram brevemente descritos para dar uma ideia do desenvolvimento psicológico de um estudante com a prática da meditação. Dessa maneira, podemos ter diretrizes sobre o caminho, não somente o de seu professor ou de seus amigos ou vizinhos, mas o seu próprio. Há uma jornada que está acontecendo e se nos perguntarmos quem é o juiz, penso que nós mesmos somos o melhor juiz do nível de dor e confusão que estamos experimentando.

Quando discutimos sobre o caminho ou sobre o budismo em geral, temos de encarar o fato de que algo óbvio está acontecendo. Dizemos que não estamos nos esforçando muito pelo resultado da iluminação, não estamos interessados nisso e não temos um ego, portanto, estamos livres de tudo isso. Mas, ao mesmo tempo, falamos *efetivamente* sobre a iluminação. Dizemos que alcançaremos a iluminação, que nos tornaremos pessoas melhores. Temos de enfrentar esse fato óbvio. Não há por que tentar nos fazer mais sofisticados do que qualquer outra pessoa na Terra que tenha seguido um caminho espiritual. Pode ser perturbador dar-nos conta de que retrocedemos à lógica comum, perceber que todos estão em busca de prazer e nós também. No entanto, esse é o fato. No budismo, falamos sobre neurose decrescente, o que significa, automaticamente, diminuição da dor orientada para o ego. Falamos sobre alcançar a iluminação — um estado em que não há necessidade de segurança, mas no qual a segurança absoluta se desenvolve. Sem essa lógica, o Buda não poderia verdadeiramente ensinar seres humanos, de maneira alguma.

Os ensinamentos existem a fim de que melhoremos, para que nos desenvolvamos; isso é um fato conhecido. Poderíamos dizer que não estamos interessados em algo assim, pensando que isso seja a melhor coisa a ser dita, mas, se não estivermos interessados em qualquer coisa do gênero, já fomos pegos. Pensamos ser muito espertos, mas estamos nos iludindo. É preciso tornar-se bobo, simplório e pouco inteligente, em certo sentido, a fim de comprometer-se com os ensinamentos e com o caminho. E, quer gostemos ou não, o budismo é um tipo de doutrina. Mesmo que possa ser uma doutrina transcendental, ainda é uma doutrina. Por isso, vamos tentar não ser sofisticados demais. Não existe algo como "dharma legal" ou "verdade bacana". Se é a verdade, é a verdade.

No caminho budista espera-se que desenvolvamos certos estados mentais, espera-se que mostremos certos sinais. Espera-se também que compartilhemos essas coisas com os demais irmãos e irmãs na Terra e também trabalhemos com eles. Mas nada disso é considerado como algo bom a ser feito — é apenas o fluxo comum, como em um rio. Se um rio corresse para trás, ou uma cascata fluísse para montante, pensaríamos ou estar tendo uma alucinação ou que há algo errado com a paisagem. Do mesmo modo, a lógica do caminho tem de fluir da mesma maneira, tal como se espera da água que flua para baixo e cumpra lentamente sua jornada até o oceano. Tais normas são óbvias. Espera-se que o sol nasça no leste e se ponha no oeste — não podemos ser muito chegados a modismos, nem os não convencionais; não podemos mudar a direção do curso do sol.

No que diz respeito aos sinais no caminho, não estamos esperando que algo especial aconteça, mas, quando acontece, acontece — e é certo que acontecerá, mais cedo ou mais tarde. Contudo, não há a expectativa de que, uma vez alcançado o nível seguinte, estaremos bem. De fato, é bem possível que em cada nível encontremos mais problemas. Por exemplo, alcançar a condição de arhat parece ótimo, mas, uma vez chegando lá, poderemos encontrar mais problemas e dificuldades. Ao progredirmos ao longo do caminho, estamos em um processo constante de tornar-nos cada vez mais inteligentes. Quanto mais inteligentes e mais conscientes de todos os detalhes da visão geral nos tornamos, mais coisas erradas identificaremos em nós próprios.

Não espera especialmente obter felicidade como resultado do caminho. No entanto, esperamos sofisticação e um senso de alívio ou confiança de que algo está verdadeiramente acontecendo. Não precisamos saber onde nos encontramos no caminho, mas precisamos saber se estamos nos movendo e que chegaremos ao destino. Mesmo assim, se estivermos muito preocupados em ir daqui para lá, tão depressa quanto possível, nós nos depararemos com muita dor. Não é a rapidez com a qual podemos chegar lá que interessa, e sim o movimento. No caminho não estamos bloqueados, estamos nos movendo constantemente. Tão logo acendamos o forno, a comida está cozinhando.

Todo o caminho pode aparentar ser algo popular, mas os ensinamentos não são especialmente popularescos — nem, nesse sentido, são para eruditos, magos, reis, ou monges e monjas. Os ensinamentos não foram *concebidos* com qualquer intento. O dharma é um ensinamento simples e direto. Contém certas verdades básicas comuns; caso contrário, não seria possível comunicá-lo e tampouco apreciá-lo. Não importa em quantos restaurantes possamos comer, ou quão luxuosos eles possam ser, ainda comemos colocando os alimentos na boca; não há outra maneira. Nenhum restaurante oferece comida para ser consumida de qualquer outra forma.

Ao trabalhar com os cinco caminhos, começamos com o primeiro caminho e a prática do shamatha. À medida que progredimos, começamos a desenvolver-nos e há algum tipo de progresso a relatar. Pode parecer difícil identificar-nos com os cinco caminhos, mas eles são reais e poderíamos dirigir nossos anseios para levá-los a efeito. Não há nada de desarrazoado com respeito a eles: eles são ao mesmo tempo razoáveis e possíveis. Se nossa aspiração é a alegria, poderemos alcançá-la, porque temos alegria em nós. Da mesma maneira, também temos em nós esforço, concentração e prajna. Todos esses são termos domésticos, não são nada exóticos ou primitivos. Portanto, a mensagem é muito simples: é possível e podemos realizá-las. Podemos trabalhar com as quatro nobres verdades.

Porque o sofrimento é fundamental, há também uma cura fundamental para ele. Essa cura é o *saddharma*: verdadeiro (*sat*) dharma. O dharma real pode, com efeito, curar a dor fundamental; por isso é conhecido como *sat*, ou "verdade" É o dharma autêntico. O sofrimento fundamental está baseado em um infortúnio kármico, surgido da ignorância. No entanto, quando começamos a trabalhar nosso estado de ânimo, damo-nos conta das consequências de nossa ignorância e podemos ver como é possível corrigir isso. Nossa ignorância fundamental é a causa de toda a coincidência kármica, mas, em vez da estupidez de seguir isso, começamos a despertar por meio da prática da meditação. Temos consciência de tentar ir além da fixação do ego em duas partes — o ego dos dharmas e o ego do *self* — e começamos a desmontar a coisa toda. Colocamos muito esforço e energia nisso. É muito simples.

A prática é fundamental. É uma cura verdadeira. Temos um ego verdadeiro e um sofrimento verdadeiro com as curas que lhes correspondem. Dizem que o dharma é o remédio, o professor é o médico e nós somos o paciente. Se tivermos uma enfermidade que a medicina possa curar, o professor poderá diagnosticá-la e tratá-la. E, à medida que progredirmos através dos yanas, do hinayana ao vajrayana, a cura começa muito mais difícil e mais precisa. Essa é a ideia do saddharma. O saddharma é a cura suprema porque lida não apenas com os sintomas, mas com a própria doença.

A PRÁTICA DA MEDITAÇÃO

Instruções básicas e diretrizes

CHÖGYAM TRUNGPA

A prática da meditação não se refere tanto à obtenção hipotética da iluminação, mas a viver uma vida correta. A fim de aprender como levar uma vida correta, uma vida imaculada, necessitamos de uma consciência plena que se liga constante, direta e muito simplesmente à vida.

A atitude que faz surgir a presença mental e a atenção plena não é obstinada ou algo que se presume. A presença mental é simplesmente uma sensação de ser; estamos em contato, estamos realmente aqui. Quando nos sentamos sobre a almofada de meditação, sentimos que estamos aqui sentados e que existimos verdadeiramente. Não necessitamos estimular ou manter nossa sensação de ser.

Podemos realmente nos perguntar qual o propósito da meditação, o que acontece depois, mas, na realidade, a ideia da meditação é desenvolver uma maneira completamente diferente de lidar com as coisas, na qual não temos absolutamente nenhum intento. Não estamos constantemente a caminho de algum lugar, mas, pelo contrário, estamos ao mesmo tempo no caminho e em sua destinação.

Nossa postura durante a prática de meditação é importante. Recomenda-se sentar com as pernas cruzadas, com a coluna vertebral ereta, sem rigidez, de modo a que a respiração não exija esforço nem seja tolhida. No entanto, impor ao corpo demasiado vigor porá tudo a perder, por isso, pode-se rearranjar a postura sempre que necessário. Caso haja algum problema físico que torne muito difícil sentar-se no chão, pode-se usar uma cadeira, mas é melhor não apoiar as costas sobre o encosto.

Os olhos permanecem abertos, mas, se estivermos prestando muita atenção a detalhes visuais e a cores, pode haver um enrijecimento da cabeça e do pescoço. Simplesmente baixamos um pouco o olhar sem tentar focar em nada.

À medida que expiramos, seguimos o ar exalado. De fato, tentamos identificar-nos com ele, em vez de simplesmente observá-lo. A inspiração segue-se naturalmente quando os pulmões ficam vazios; apenas deixemos que aconteça, sem prestarmos a ela uma atenção especial.

É muito importante que evitemos ficar excessivamente solenes ou sentir que estamos participando de alguma espécie de ritual. Deveríamos simplesmente tentar nos identificar com a respiração; não há ideias ou análises envolvidas.

Sempre que surjam pensamentos, simplesmente os observamos como pensamentos e os rotulamos como "pensando". O que geralmente acontece quando temos pensamentos é que nos deixamos absorver por eles e deixamos de dar-nos conta de que estamos pensando. Deveríamos tentar não suprimir os pensamentos na meditação, mas simplesmente tentar ver sua natureza transitória, sua natureza translúcida. Não nos deixamos envolver por eles, nem os rejeitamos, mas apenas os reconhecemos e depois voltamos à consciência da respiração. Não deveria haver nenhum esforço deliberado para controlar e nenhuma tentativa de ficar tranquilo. Nossos pensamentos simplesmente deixam de ser o que há de mais importante em nossa vida.

Por outro lado, não se está insinuando que, sentando-nos para meditar, voltando para a respiração, tenhamos encontrado uma maneira para evitar problemas e fugir de um ponto para o outro. A meditação não é uma cura rápida ou um disfarce para nossos aspectos complicados ou embaraçosos. É um modo de vida. É extremamente importante persistir em nossa prática sem nos censurarmos, sem desapontamento, euforia ou nenhuma outra atitude. Podemos efetivamente começar a ver de uma maneira mais aberta e animadora o mundo que carregamos conosco. A meditação é muito mais uma questão de exercício, uma prática para ser feita. Não é uma questão de mergulharmos em profundezas imaginárias, mas de nos abrirmos e nos expandirmos para fora.

Essas instruções são apresentadas como o alicerce básico da prática de meditação. É importante seguir essas diretrizes para assegurar uma boa compreensão desde o início.

SUMÁRIO DOS ENSINAMENTOS

As listas numeradas de ensinamentos do livro foram aqui organizadas em forma de sumário, como um meio auxiliar de ensino. As listas estão na ordem em que aparecem no texto.

A primeira nobre verdade: o sofrimento

I. Os oito tipos de sofrimento
   A. Sofrimento herdado
      1. Nascimento
      2. Velhice
      3. Doença
      4. Morte
   B. Sofrimento do período entre o nascimento e a morte
      5. Defrontar-se com o que não é desejável
      6. Não ser capaz de conservar para si o que é desejável
      7. Não conseguir o que se deseja
   C. Angústia geral
      8. O sofrimento difuso

II. Os três padrões do sofrimento
   A. O sofrimento do sofrimento
      1. Nascimento
      2. Velhice

3. Doença
4. Morte
5. Defrontar-se com o que não é desejável

B. O sofrimento da mudança
6. Tentar agarrar-se ao que é desejável
7. Não conseguir — ou não saber — o que se quer

C. O sofrimento que tudo permeia
8. Ansiedade geral

A segunda nobre verdade: a origem do sofrimento

I. Os sete padrões orientados para o ego
A. Considerar os cinco skandhas como se nos pertencessem
B. Proteger-nos da impermanência
C. Acreditar que nosso ponto de vista é o melhor
D. Acreditar nos extremos do niilismo e do eternalismo
E. Paixão
F. Agressão
G. Ignorância

II. Os seis kleshas-raiz (emoções conflitantes)
A. Desejo
B. Ira
C. Orgulho
D. Ignorância
E. Dúvida
F. Opinião

III. Padrões kármicos que conduzem ao sofrimento
A. Karma demeritório
1. Corpo
a. Tirar a vida

b. Furtar

c. Ter comportamento sexual impróprio

2. Fala

a. Dizer mentiras

b. Criar intrigas

c. Usar palavras negativas

d. Fofocar

3. Mente

a. Inveja

b. Desejo de causar dano

c. Não acreditar na sacralidade

B. Karma meritório

1. O respeito pela vida

2. A generosidade

3. A integridade sexual

4. A veracidade

5. A franqueza

6. A sabedoria benevolente

7. A simplicidade

8. A abertura

9. A gentileza

10. A sacralidade

C. Os seis tipos de consequência kármica

1. O poder da ação volitiva

a. Bom começo, mau final

b. Mau começo, bom final

c. Mau começo, mau final

d. Bom começo, bom final

2. Experimentar o que se plantou

a. Imediatamente

b. Mais tarde
c. Amadurecidas a partir de um nascimento anterior
3. Consequências kármicas brancas
a. Emular as três joias
b. Emular e apreciar a virtude de outra pessoa
c. Praticar o dharma
4. Modificar o fluxo kármico por meio da ação vigorosa
5. Situações kármicas compartilhadas
a. Karma nacional
b. Karma individual dentro do karma nacional
6. Interação da intenção e da ação
a. Intenção branca, ação branca
b. Intenção negra, ação negra
c. Intenção branca, ação negra
d. Intenção negra, ação branca

A terceira nobre verdade: a cessação do sofrimento

I. As três categorias do samsara
A. A semente do samsara: o aturdimento
B. A causa do samsara: a fixação
C. O efeito do samsara: o sofrimento
II. As quatro maneiras de desenvolver a sanidade
A. O relacionamento correto com os alimentos
B. O relacionamento correto com o sono e o repouso
C. A precisão
D. A meditação
III. Os doze aspectos da cessação
A. Natureza

1. Origem: absorção meditativa
2. Do que se deveria abrir mão: da neurose
3. O caminho a ser cultivado: a simplicidade

B. Profundidade
C. Sinal
D. Definitivo
E. Incompletude
F. Sinais de completude
G. Sem ornamento
H. Adornado
I. Com omissão
J. Sem omissão
K. Especialmente supremo
L. Além do cálculo
   1. Renúncia
   2. Purificação completa
   3. Desgaste
   4. Situação de desapaixonado
   5. Cessação
   6. Paz completa
   7. Acomodamento

A quarta nobre verdade: o caminho

I. A sequência do caminho
   A. A superação da ideia de eternidade
   B. A superação da busca do prazer
   C. Compreender a possibilidade da vacuidade
   D. O encontro com a ausência do ego
II. As quatro qualidades do caminho

A. O caminho: a procura do significado verdadeiro da quididade
B. *Insight*: transcender a neurose por meio da clareza
C. Prática: associar-se com a sanidade fundamental
D. Fruição: o nirvana permanente

III. Os cinco caminhos
- A. O caminho da acumulação (*tsog-lam*)
  - 1. O mantra da experiência: os dezesseis encantamentos
    - a. Primeiro conjunto de encantamentos
      - 1. A verdade do sofrimento deveria ser entendida
      - 2. A origem do sofrimento deveria ser evitada
      - 3. A meta deveria ser alcançada
      - 4. O caminho deveria ser cumprido
    - b. Segundo conjunto de encantamentos
      - 5. O sofrimento deveria ser compreendido como impermanente
      - 6. A origem do sofrimento deveria ser compreendida como impermanente
      - 7. A meta deveria ser compreendida como impermanente
      - 8. O caminho deveria ser compreendido como impermanente
    - c. Terceiro conjunto de encantamentos
      - 9. O sofrimento deveria ser visto com clareza
      - 10. A origem do sofrimento deveria ser vista com clareza
      - 11. A meta deveria ser vista com clareza
      - 12. O caminho deveria ser visto com clareza

d. Quarto conjunto de encantamentos
13. Sem sofrimento
14. Sem origem do sofrimento
15. Sem meta
16. Sem caminho
2. A verdade em duas partes
a. Verdade relativa (*kündzop*)
b. Verdade absoluta (*töndam*)
B. O caminho da unificação (*jor-lam*)
1. Cinco categorias
a. Fé
b. Empenho
c. Rememoração
d. Concentração plena ou unipontual
e. Intelecto
C. O caminho de ver (*thong-lam*)
1. Os sete membros da iluminação
a. Rememoração
b. Separação dos dharmas
c. Esforço
d. Deleite
e. Ser completamente treinado
f. Samadhi
g. Equilíbrio
D. O caminho da meditação (*gom-lam*)
1. O nobre caminho óctuplo
a. Visão perfeita
b. Compreensão perfeita
c. Fala perfeita
d. Fim perfeito do karma

- e. Meio de vida perfeito
- f. Esforço perfeito
- g. Rememoração perfeita
- h. Meditação perfeita

E. O caminho de não mais aprender (*mi-lop-lam*)

NOTAS

Capítulo 1

1. Trungpa Rinpoche empregou o termo psicológico *neurose*, não no sentido estritamente freudiano, e sim para referir-se a experiência humana comum das emoções conflitantes. Preferiu apresentar o caminho espiritual como uma viagem da neurose para a sanidade, em vez de usar uma terminologia mais religiosa ou filosófica.
2. No sistema budista dos seis reinos, os três reinos superiores são o reino dos deuses, o reino dos deuses invejosos e o reino dos humanos; os três reinos inferiores são o reino dos animais, o reino dos espíritos/fantasmas famintos e o reino do inferno. Esses reinos podem referir-se a estados psicológicos ou a aspectos da cosmologia budista. Para comentários adicionais, ver Chögyam Trungpa, *The Myth of Freedom* (Boston: Shambhala Publications, 1988), traduzido para o português como *O Mito da Liberdade e o Caminho da Meditação*, publicado pela Editoria Cultrix, São Paulo (fora de catálogo).

Capítulo 2

1. O entendimento budista tradicional desta forma de sofrimento é não conseguir aquilo que se deseja; Trungpa Rinpoche expande isso para incluir não saber o que se deseja.

Capítulo 5

1. De acordo com o *Mind in Buddhist Psychology* [A Mente na Psicologia Budista], traduzido para o inglês por Herbert Guenther e Leslie Kawamura (Emeryville, Califórnia: Dharma Publishing, 1975), os vinte kleshas secundários são a indignação, o ressentimento, a dissimulação-ocultação, a maldade, a inveja, a avareza, a fraude, a desonestidade, o enfatuamento mental, a malícia, a sem-vergonhice, a falta de senso de civilidade e decoro, a melancolia, a exuberância, a desconfiança, a preguiça, a indiferença, o esquecimento, a desatenção e a superficialidade.
2. Em diferentes contextos, Trungpa Rinpoche usa variações dos seis kleshas principais, mais comumente (1) paixão, agressão, ignorância, arrogância/orgulho, inveja/ciúmes e avareza/mesquinhez/sovinice/hesitação, e (2) desejo, ira, orgulho, ignorância, dúvida e opinião.
3. A palavra *karma* possui muitos significados. Mais simplesmente ela significa "ação", e está relacionada à ideia de causa e efeito, no sentido de que ações passadas moldaram nossa situação presente e as ações presentes moldam nossas circunstâncias futuras. Embora não possamos mudar as circunstâncias em que nascemos, é possível afetar nosso futuro por meio das escolhas e das ações que efetuamos no presente. Os ensinamentos sobre o karma estão intimamente ligados à ideia de renascimento — a visão de que nesta vida e ao longo de muitas vidas nossa experiência não é algo sólido, e sim um vir à luz, manifestar-se e dissolver-se recorrentes.
4. Ao discutir o karma, Trungpa Rinpoche expõe o ensinamento de transformar em boas as más circunstâncias kármicas no

contexto da possibilidade de transcender completamente as causas e os efeitos kármicos.

Capítulo 8

1. Os cinco caminhos — o caminho da acumulação, o caminho da unificação, o caminho de ver, o caminho da meditação e o caminho de não mais aprender — podem ser utilizados para descrever qualquer um dos três yanas. Trungpa Rinpoche está fazendo uma distinção entre um entendimento hinayana do caminho de não mais aprender e o entendimento vajrayana desse caminho.
2. Em geral, Trungpa Rinpoche preferia usar a terminologia sânscrita, como os *dhyanas*, em vez de absorções meditativas. Contudo, às vezes também usava o termo *jhanas*, do páli (o páli é a língua usada nos textos hinayana), ao referir-se às absorções meditativas.
3. O grande filósofo Nagarjuna (séculos II e III d.C.) desenvolveu uma abordagem dialética para solapar sistematicamente qualquer tentativa de estabelecer uma posição lógica sólida. Isso se tornou a base do "Caminho do Meio", ou escola madhyamika.
4. Trungpa Rinpoche estudou e praticou nas duas escolas — Kagyü e Nyingma — do budismo tibetano.
5. Trungpa Rinpoche usa *brahma* para referir-se a uma ideia mais personalizada da condição brâmica ou bramânica, no sentido de divindade (como na trindade hinduísta de Brahma, o Criador; Vishnu, o Mantenedor; e Shiva, o Destruidor); e *brahman* (o termo hindu para o Absoluto) para referir-se a um nível de entendimento mais sofisticado.

Capítulo 10

1. Esta divisão do caminho em cinco etapas distintas é atribuída a Atisha Dipankara (990-1055) e sua obra *Uma Lâmpada no Caminho da Iluminação* (em sânscrito: *Bodhipathapradipa*). Isso também é discutido por Gampopa, em *O Ornamento da Preciosa Liberação*.
2. Os primeiros quatro encantamentos são usados como epígrafes no início de cada uma das quatro divisões deste livro.
3. Nas transcrições do *Seminário Hinayana-Mahayana* de 1973, com referência à prajna e aos cinco caminhos, Trungpa Rinpoche estabelece a expressão completa da prajnaparamita no quarto caminho, o caminho da meditação, que inclui os níveis 2 a 10 das etapas tradicionais, ou *bhumis*, do caminho do bodhisattva. Um estudante comum começa com o caminho da acumulação; capta um lampejo das possibilidades mahayana no caminho da unificação; entra no primeiro bhumi no caminho de ver; pratica os bhumis 2 a 10 no caminho da meditação; e alcança a iluminação completa no caminho de não mais aprender.
4. Trungpa Rinpoche também discute o caminho óctuplo no livro *O Mito da Liberdade e o Caminho da Meditação*.
5. A crença em um "eu" e a crença em um "outro" são ambas ultrapassadas. Nem o ego nem os fenômenos externos são considerados como existentes, inerente e independentemente.

GLOSSÁRIO

Este glossário inclui termos em inglês, tibetano (tib.), sânscrito (sânsc.), páli e japonês (jap.). Termos tibetanos são soletrados foneticamente, seguidos da transliteração entre parênteses.

abhidharma (sânsc.). Dharma supremo. Os ensinamentos budistas podem ser divididos em três partes chamadas "os três cestos", ou *tripitika*: os sutras (ensinamentos do Buda), o *vinaya* (ensinamentos sobre a conduta) e o *abhidharma* (ensinamentos sobre a filosofia e a psicologia). De acordo com Trungpa, o abhidharma pode ser considerado como "os padrões do dharma".

agregado. *Ver* skandha.

arhat (sânsc.). O digno ou merecedor. Em tibetano, *drachompa* (dgra bcom pa), "o que conquistou o inimigo" das emoções conflitantes e superou o apego a uma entidade associada ao eu (*self*). Um praticante totalmente realizado do caminho hinayana, que alcançou a libertação do sofrimento do samsara.

avidya (sânsc.) (tib.: **marikpa**; ma rig pa). Ignorância fundamental, o primeiro nidana. Para mais informações sobre o klesha da ignorância, *ver* timuk.

bipartite, ego. (1) Ego do eu/*self*; (2) ego dos dharmas. Ego do eu é um apego à ideia de um eu com existência independente. Ego dos dharmas é um apego à ideia de um outro que existe independentemente, ou do mundo fenomênico. Os dois reforçam-se mutuamente e perpetuam um senso de dualidade.

bodhi (sânsc.). Desperto. (Tib.: changchup; byang chub). Iluminação.

bodhisattva (sânsc.). Ser desperto. Em tibetano, *changchup sempa* (byang chub sems dpa'), "herói da mente iluminada". Pessoa que superou completamente a confusão e que está comprometida em cultivar a compaixão e a sabedoria por meio da prática das seis paramitas (ações transcendentes) a fim de libertar todos os seres do sofrimento.

bondade fundamental. Termo usado por Chögyam Trungpa nos ensinamentos de Shambhala para descrever o estado primordial de pureza ou a sanidade inata de todos os seres sencientes. Diz-se que é como um reservatório ao qual se pode ter acesso para estimular a sabedoria e a compaixão. Para mais informações sobre a bondade fundamental e a tradição de Shambhala, ver *Shambhala: a trilha sagrada do guerreiro*, publicado pela Editora Cultrix, São Paulo, 1992.

Buda/Buda. Ver buddha/Buddha.

buda na palma de sua mão. Expressão budista usada para descrever uma condição já perfeita de ser basicamente desperto que todos os seres humanos possuem intrinsecamente.

buddha/Buddha (sânsc.) (tib.: sang-gye; sangs rgyas). O desperto. Num sentido geral, *buda* (com inicial minúscula) pode se referir ao princípio da iluminação ou a qualquer ser iluminado. Em particular, o *Buda* (com inicial maiúscula) refere-se ao Buda histórico, Shakyamuni.

buddhadharma (sânsc.). Os ensinamentos do Buda, o dharma do Buda.

búdica, natureza. *Ver* tathagatagarbha.

caminhos, cinco. Cinco etapas do caminho da iluminação conforme enumerados por Atisha Dipankara, Gampopa e outros: (1) tsog-lam (tib.: tshogs lam), o caminho da acumulação; (2) jor-lam (sbyor lam), o caminho da unificação; (3) thong-lam (mthong lam), o caminho de entender;* (4) gomlam (sgom lam), o caminho da meditação; e (5) mi-lop-lam (mi slobs lam), o caminho de não mais aprender.

chakravartin (sânsc.). Alguém que faz girar a roda. Um monarca universal; na antiga literatura védica e budista, um rei que governa o mundo inteiro por sua sabedoria e virtude. A ideia de um monarca universal e o estabelecimento de uma sociedade iluminada desempenham um papel significativo na apresentação que Chögyam Trungpa faz dos ensinamentos budistas e de Shambhala.

changchup yenlak dün (tib.: btang chub yan lag bdun). Os sete membros da iluminação.

chok-she (tib.: chog shes). Senso de contentamento; literalmente, "contentamento/conhecimento". Um dos dois tipos de renúncia.

devaloka (sânsc.). O reino dos deuses, um dos seis reinos da existência em que os seres nascem. *Ver* nota 2 do Capítulo 1, na p. 168.

dharma (sânsc.). Verdade ou lei. Especificamente, o buddhadharma, o dharma mais elevado ou ensinamentos do Buda. O dharma mais elevado é a compreensão sutil do mundo: como a mente funciona, como o samsara se perpetua, como ele é transcendido, e

---

* Em inglês, *path of seeing* que também poderia ser traduzido por "caminho da visão" ou "caminho de ver" com a ressalva que "ver" tem aqui o significado de "entender". (N. do T.)

assim por diante. O dharma mais baixo é como as coisas funcionam no nível mundano, por exemplo, como a água ferve.

dharmas (sânsc.). Fenômenos, objetos da percepção.

dhyana (sânsc.) (páli: jhana). Meditação ou absorção meditativa.

drippa (tib.: sgrib pa). Impurezas, obscurecimentos e bloqueios — névoa cognitiva ou emocional.

dug-ngal (tib.: sdug bsngal). Sofrimento, ansiedade, insatisfação. *Ver* duhkha.

duhkha (sânsc.) (tib.: dug-ngal; sdug bsngal). Sofrimento. A primeira das quatro nobres verdades. Sofrimento físico e psicológico de todos os tipos, inclusive a frustração sutil, mas que tudo permeia, experimentada com respeito à impermanência e à insubstancialidade de todas as coisas.

dzinpa (tib.: 'dzin pa). Avidez, fixação.

ego. Eu aparentemente sólido que, na verdade, é transitório e mutável e, portanto, suscetível a sofrer. Uma personalidade autoatribuída a partir dos cinco agregados (skandhas). *Ver* ego bipartite.

ego de dharmas. *Ver* ego bipartite.

ego do eu *ou* do *self*. *Ver* ego bipartite.

eternalismo/niilismo. Crenças extremas que perpetuam a fixação do ego. Num extremo, a visão de que as coisas são sólidas e duram para sempre (eternalismo) e, no outro, a visão de que as coisas são vazias e sem sentido (niilismo).

gawa (tib.: dga' ba). Deleite, gozo, grande alegria. Um dos sete membros da iluminação.

gokpa (tib.: 'gog pa; sânsc.: nirodha). Cessação. *Ver* nirodha.

gomden (tib.: sgom gdan). Almofada de meditação na forma de um bloco retangular (paralelepípedo).

gom-lam (tib.: sgom lam). Caminho de meditação. *Ver* caminhos, cinco.

hinayana (sânsc.). Veículo estreito ou menor. No caminho dos três yanas do budismo tibetano — hinayana, mahayana e vajrayana —, o hinayana constrói o alicerce. Fornece a instrução essencial que serve como fundamento para os outros dois veículos (yanas).

jhana (páli). Absorção meditativa. Os jhanas são etapas progressivas da absorção meditativa. De acordo com Trungpa Rinpoche, o apego a tais estados de absorção é um obstáculo que faz com que a pessoa fique aprisionada no reino dos deuses. Tais experiências constituem uma distração e deveriam ser evitadas.

jor-lam (tib.: sbyor lam). Caminho da unificação. *Ver* caminhos, cinco.

karma (sânsc.). Ação. O processo de reação em cadeia da ação e seu resultado. De acordo com a doutrina da causa e efeito, nossa experiência presente é um produto de ações e volições anteriores, e as condições futuras dependem do que fazemos no presente. *Ver* nota 3, capítulo 5, p. 169.

kármicas, sementes. Todas as ações, sejam em pensamento, palavras ou atos, são como sementes que em algum momento futuro produzirão frutos, levando-se em consideração a experiência, seja nesta vida ou em outra vida futura. *Ver* karma.

kaya(s), três (sânsc.). Os três corpos de um buddha: o nirmanakaya (corpo), o sambhogakaya (fala) e o dharmakaya (mente). *Nirmanakaya* (tib.: *tülku*; sprul sku) quer dizer "corpo de emanação", "corpo de forma" ou "corpo de manifestação". É a comunicação da mente desperta por meio da forma — especificamente por meio da corporificação como ser humano. *Sambhogakaya* (tib.: *longku*; longs sku), "corpo de grande prazer", é o ambiente energético da compaixão e a comunicação que liga o dharmakaya e o nirmanakaya. O *dharmakaya* (tib.: *chöku*; chos sku), ou "corpo do dharma", é o aspecto de realização além da forma ou limite, tempo e espaço.

khorwa (tib.: 'khor ba; sânsc.: samsara). Girar. Existência cíclica; o ciclo vicioso da existência transmigratória. Ver samsara.

kleshas (sânsc.) (tib.: nyönmong). Emoções conflitantes ou impurezas. Trungpa Rinpoche referiu-se aos kleshas como "neuroses" e à iluminação, como "sanidade". Kleshas são propriedades que entorpecem a mente e são a base para todas as ações perniciosas. Os três kleshas principais são a paixão, a agressão e a ignorância. Há também a enumeração de seis kleshas-raiz e vinte kleshas subsidiários. *Ver* nyönmong künjung; nyönmong kyi drippa.

kündzop (tib.: kun rdzob). Verdade relativa ou convencional.

künjung (tib.: kun 'byung; sânsc.: samudaya). Origem, a origem do sofrimento. A origem do sofrimento pode ser rastreada até a ignorância fundamental e o desejo. É alimentada pelas emoções conflitantes (kleshas) e pelas ações prejudiciais (karma). O künjung do karma faz surgir o sofrimento externo quando agimos sobre os outros como resultado do surgimento dos kleshas. O künjung dos kleshas faz surgir o sofrimento interno por meio do aparecimento das emoções conflitantes.

künjung do karma. *Ver* künjung.

künjung dos *kleshas*. *Ver* künjung.

lam (tib.: lam; sânsc.: marga). Caminho.

le kyi tha (tib.: las kyi mtha'). Fim do karma. Ver óctuplo, nobre caminho.

mahayana (sânsc.). Grande veículo. O estágio dos ensinamentos do Buda que enfatiza a união da sabedoria com a compaixão. É o caminho do bodhisattva, uma pessoa cuja vida é dedicada a ajudar os outros no caminho da libertação.

materialismo espiritual. Uso de um caminho ou disciplina espiritual para apoiar e solidificar um interesse próprio, mal-entendido básico do propósito de um caminho espiritual.

mi-lop-lam (tib.: mi slobs lam). Caminho de não mais aprender. *Ver* caminhos, cinco.

naga (sânsc.). Serpente. Classe de deidades com troncos humanos e parte inferior do corpo semelhante a serpentes; diz-se que habitam as áreas baixas dos pântanos e os corpos-d'água. Trungpa Rinpoche considerava que o equivalente de ser nascido em uma família de nagas seria nascer em uma família de mafiosos.

não retornante. Praticante que, por meio de prática diligente, não renasce no samsara.

não teísmo. Doutrina que nem acredita em, nem depende de um deus ou salvador externo.

neuroses. Kleshas. Na tradução de termos-chave dármicos, Chögyam Trungpa Rinpoche tendia a usar a terminologia psicológica em vez de uma linguagem mais religiosa ou filosófica. Ver nota 1, capítulo 1, p. 168.

ngak (tib.: ngag). Fala. *Ver* óctuplo, nobre caminho.

ngejung (tib.: nges 'byung). Tornar-se real. Primeiro de dois tipos de renúncia: desgosto pelo samsara.

ngepar shepa (tib.: nges par shes pa). Convicção real.

nidanas, doze (sânsc.). Cadeia de causação. Os doze elos da cadeia de causação da origem interdependente: ignorância, formação, consciência, nome e forma, seis sentidos, contato, sentimento, desejo, apego, vir a ser, nascimento e morte. A rede de fenômenos psicológicos e físicos mutuamente condicionados que constitui a existência individual e prende os seres sencientes no samsara.

niilismo. *Ver* eternalismo/niilismo.

nirmanakaya (sânsc.). *Ver* kayas, três.

nirodha (sânsc.) (tib.: gokpa; 'gog pa). Cessação. Também: o estado de iluminação ou liberdade.

nirvana (sânsc.). Extinguido. A tradução tibetana desta palavra, *nya-ngen ledepa* (mya ngan las 'das pa) significa "que foi além do sofrimento", um estado de não mais sofrer, alcançado quando uma pessoa está completamente iluminada; usado em contraposição ao samsara.

nyönmong (tib.: nyon mongs; sânsc.: klesha). *Ver* klesha.

nyönmong künjung (tib.: nyon mongs kun 'byung). Origem de todas as impurezas; ou onde todas as impurezas e dores são criadas.

nyönmong kyi drippa (tib.: nyon mongs kyi sgrib pa). Obscurecimento das emoções negativas, ocasionado pelos pakchak kyi drippa (pensamentos vacilantes).

óctuplo, nobre caminho. No contexto deste livro, oito aspectos do caminho da meditação: (1) visão perfeita: yangdak tawa (tib.: yang dag lta ba); (2) compreensão perfeita: yangdak tokpa (yang dag rtog pa); (3) fala perfeita: yangdak ngak (yang dag ngag); (4) fim perfeito do karma: yangdak le kyi tha (yang dag las kyi mtha'); (5) meio de vida perfeito: yangdak tsowa (yang dag 'tsho ba); (6) esforço correto: yangdak tsölwa (yang dag rtsol wa); (7) recordação perfeita: yangdak trenpa (yang dag dran pa); (8) meditação perfeita: yangdak tingdzin (yang dag ting 'dzin).

oryoki (jap.). Um estilo formal de servir e comer alimentos em uma sala de meditação com altar, que tem suas origens no budismo Zen.

pakchak kyi drippa (tib.: bag chags kyi sgrib pa). O obscurecimento de tendências habituais. Pensamentos vacilantes.

paramita (sânsc.). Perfeição. Virtude transcendente; literalmente, "atravessar para o outro lado" (da margem do samsara para a outra margem, o nirvana). O bodhisattva cultiva as seis virtudes transcendentes da generosidade, disciplina, paciência, empenho, meditação e prajna (conhecimento).

prajna (sânsc.). Conhecimento. Prajna pode referir-se ao conhecimento perfeito ou sabedoria transcendente, ou à compreensão intelectual ordinária. A prajna ordinária é compreender o mundo e como as coisas funcionam, em um nível mundano. A prajna dármica abrange uma experiência direta da mente e seus processos; e, nos estágios posteriores do caminho, o *insight* ou a percepção intuitiva penetrante que descobre que o mundo e o eu são ilusórios.

pratimoksha (sânsc.). Votos budistas pela libertação pessoal; preceitos monásticos e laicos.

retornante, uma vez. Praticante que, devido ao débito kármico remanescente, volta para o samsara por ainda uma vida.

ri-me (tib.: ris med). Imparcial. O movimento não sectário do século XVIII que consolidou as tradições e escolas contemplativas do Tibete, enfatizando a prática da meditação e o retiro como alicerces da vida espiritual.

saddharma (sânsc.). Lei verdadeira. Dharma excelente ou verdadeiro.

samadhi (sânsc.) (tib.: tingdzin). Meditação, calma ou tranquilidade mental. (1) Concentração unipontual; um dos sete membros da iluminação. (2) Estado de consciência em que cessa a atividade mental; absorção total no objeto da meditação.

samsara (sânsc.) (tib.: khorwa). Existência cíclica; o contínuo ciclo repetitivo do nascimento, morte e do bardo, que surge do apego e da fixação que os seres comuns têm por um eu (*self*) e pelas experiências pessoais. Todos os estados de consciência nos seis reinos (ver nota 2, capítulo 1, p. 168), incluindo os reinos dos deuses, caracterizados pelo prazer e pelo poder, são submetidos a esse processo. O samsara origina-se da ignorância e é caracterizado pelo sofrimento.

samskara (sânsc.). Formação mental. O segundo nidana, visualizado como um torno de oleiro que representa a mente conceitual que dá a si mesma uma determinada forma.

samudaya (sânsc.) (tib.: künjung). *Ver* künjung.

sang-gye (tib.: sangs rgyas; sânsc.: buddha). O Buda, ou o Desperto. *Ver* buddha.

sangha (sânsc.). Comunidade. A terceira das três joias do refúgio. No hinayana, o sangha refere-se especificamente aos monges e monjas budistas. No mahayana, também inclui os praticantes laicos. Como objeto de refúgio, o "nobre sangha" pode referir-se à assembleia de bodhisattvas e arhats, aqueles que alcançaram a realização.

semjung (tib.: sems byung). Os 51 eventos mentais que têm sua origem na mente. Pensamentos vacilantes que ativam os skandhas e os kleshas.

shamatha (sânsc.) (tib.: shi-ne; zhi gnas). Permanecer na paz. Prática da atenção plena. A prática da meditação de domar e estabilizar a mente.

shamatha-vipashyana (sânsc.). Prática ou estado de meditação em que são unificadas a estabilidade do shamatha e o *insight* do vipashyana.

sherap (tib.: shes rab; sânsc.: prajna). Conhecimento. *Ver* prajna.

shila (sânsc.). Disciplina. Aprendizado dármico fundamentado na combinação do shila (disciplina), do samadhi (meditação) e da prajna (sabedoria).

shinjang (tib.: shin sbyangs). Completamente processado ou treinado pela prática da meditação; um dos sete membros da iluminação. Refere-se à flexibilidade e à funcionalidade da mente para concentrar-se em qualquer objeto de meditação desejado. É um estado geral de bem-estar e tranquilidade, e é o resultado da prática do shamatha e do vispashyana.

shunyata (sânsc.). Vacuidade. Clareza mental completamente aberta e ilimitada, caracterizada pela qualidade de não ter base ou fundamento e pela liberdade ante todas as estruturas conceituais. O shunyata é inseparável de qualidades despertas, tais como a compaixão. Poderia chamar-se "abertura", pois "vacuidade" pode levar à ideia equivocada de estado de vazio ou vácuo. De fato, o shunyata é inseparável da compaixão e de todas as outras qualidades despertas.

siddha (sânsc.). Termo para um mestre iluminado na tradição tântrica. Uma pessoa que adquiriu poderes extraordinários e é capaz de operar milagres.

skandhas (sânsc.). Montes, agregados ou cestas. O eu/*self* não é algo sólido ou independente, mas um composto de cinco skandhas, ou agregados: forma, sentimento, percepção-impulso, conceito e consciência.

Sol do Grande Leste. Importante imagem da tradição de Shambhala, que representa a condição desperta indestrutível. Espontaneamente presente, ele irradia paz e confiança. Brilhante, ilumina o caminho da disciplina. Como ele emite sua luz sobre tudo, céu, terra e humanos encontram seu lugar certo. Ele se manifesta quando se vive a própria vida com uma visão para a frente, com gentileza e destemor.

sutra (sânsc.). Junção, união. Textos hinayana e mahayana no cânone budista que são atribuídos ao Buda Sakyamuni. Literalmente, "ponto de encontro" ou "cruzamento", em referência ao encontro da iluminação do Buda e a compreensão do estudante. Um sutra é usualmente um diálogo entre o Buda e um ou mais de seus discípulos, e discorre sobre um tópico particular do dharma.

tang-nyom (tib.: btang snyoms). Equilíbrio ou equanimidade. Um dos sete membros da iluminação.

tantra (tib.: gyü, rgyud). Literalmente, "continuidade". Os ensinamentos vajrayana. *Ver* vajrayana.

tathagatagarbha (sânsc.). Natureza búdica; o estado intrínseco de estar desperto, inerente a todos os seres.

tawa (tib.: lta ba). Visão. *Ver* óctuplo, nobre caminho.

tepa (tib.: dad pa). Fé, confiança. Descrita neste livro como sentir-se estável e confiante no caminho, e sabedor do que cultivar e do que evitar.

tharpa (tib.: *thar pa*; sânsc.: *moksha*). Libertação.

teísmo. Crença em uma deidade ou salvador externo.

thong-lam (tib.). Caminho de ver. *Ver* caminhos, cinco.

timuk (tib.: gti mug; sânsc.: moha). O klesha da ignorância ou aturdimento. Sobre a ignorância fundamental, *ver* avidya.

tingdzin (tib.) (sânsc.: samadhi; ting 'dzin). Meditação. Neste livro, descrita como mente precisa e concentrada unipontualmente. *Ver* óctuplo, nobre caminho.

tokpa (tib.: rtog pa). Compreensão. *Ver* óctuplo, nobre caminho.

töndam (tib.: don dam). Verdade absoluta; natureza suprema; compreensão superior.

trenpa (tib.: dran pa). Relembrança. Um dos sete membros da iluminação. *Ver* óctuplo, nobre caminho.

tsog-lam (tib.: tshogs lam). Caminho da acumulação. *Ver* caminhos, cinco.

tsölwa (tib.: rtsol wa). Esforço perfeito. *Ver* óctuplo, nobre caminho.

tsöndrü (tib.: brtson 'grus). Empenho; um dos sete membros da iluminação. Descrito neste livro como um tremendo esforço que é aplicado à prática, com um senso de deleite e apreciação. *Ver* óctuplo, nobre caminho.

tsowa (tib.: 'tsho ba). Modo de vida. *Ver* óctuplo, nobre caminho.

tülku (tib.: sprul sku). "Corpo de emanação." Termo usado para designar uma pessoa que é reconhecida como a reencarnação de um ser iluminado anteriormente falecido (para uma leitura adicional, ver Apêndice I de *Born in Tibet* [Boston: Shambhala Publications, 2000].

vajrayana (sânsc.). Veículo adamantino ou indestrutível. O terceiro dos caminhos principais do budismo tibetano. O vajrayana também é conhecido como o caminho súbito, porque suas práticas levam a pessoa a alcançar a iluminação em uma só vida.

vencedor da corrente. Um estudante que ingressou no caminho hinayana.

Vidyadhara, o (sânsc.). Detentor da sabedoria. Um epíteto de Chögyam Trungpa Rinpoche. Em seus primeiros anos de ensino na América do Norte, Trungpa Rinpoche era simplesmente chamado *Rinpoche*, ou "o precioso". Depois passou a ser chamado o *Vajracharya*, ou "detentor do vajra" (ensinamentos vajrayana). Mais tarde passou a ser conhecido como o *Vidyadhara*, ou "detentor da sabedoria".

vipashyana (sânsc.) (tib.: lhakthong; lhag mthong). Consciência plena. Em tibetano, "ver com clareza". O *insight* surgido da experiência meditativa direta ou da análise contemplativa. Uma qualidade aberta, expansiva, da prática meditativa, complementar à estabilidade e à qualidade do shamatha de estar ligado à terra.

yana (sânsc.) (tib.: thekpa; theg pa). Literalmente, "veículo". Meio para viajar no caminho. Etapa do caminho, tal como o hinayana ou o mahayana.

yangdak (tib.: yang dag). Perfeito.

FONTES BIBLIOGRÁFICAS

Este livro é baseado em palestras dadas por Chögyam Trungpa Rinpoche durante a parte hinayana de Seminários Vajradhatu entre 1973 e 1986. Trungpa Rinpoche ensinou sobre a lógica das quatro nobres verdades por quatro vezes, em 1974, 1975, 1978 e 1983. Cada vez que abordou o assunto, enfatizou detalhes diversos dos ensinamentos. Este livro também inclui material da palestra "Basic Anxiety", de 1980, na qual Trungpa Rinpoche deu explicações adicionais sobre como o praticante reconhece a realidade do sofrimento e a importância da primeira nobre verdade, assim como a palestra "Introduction to Practice", de 1980, na qual apresenta um pequeno resumo das quatro nobres verdades. Segue abaixo uma lista das fontes utilizadas em cada capítulo deste livro:

Introdução: 1980, 1ª palestra, "Introduction to Practice"

A Primeira Nobre Verdade

Capítulo 1. Reconhecimento da realidade do sofrimento: 1980, 2ª palestra, "Basic Anxiety"; 1983, 4ª palestra, "Suffering"

Capítulo 2. Dissecação da experiência do sofrimento: 1975, 5ª palestra, "Sravakayana"; 1978, 5ª palestra, "Suffering"

A Segunda Nobre Verdade

Capítulo 3. O poder dos pensamentos vacilantes: 1974, 9ª palestra, "Awareness and Suffering"; 1975, 6ª palestra, "The Origin of Suffering"; 1983, 5ª palestra, "The Origin of Suffering"

Capítulo 4. O desenvolvimento dos padrões preestabelecidos: 1974, 10ª palestra, "The Origin of Suffering"

Capítulo 5. A recriação perpétua do sofrimento: 1978, 6ª palestra, "Origin of Suffering"; 1978, 7ª palestra, "The Origin of Suffering II: Steady Course"

A Terceira Nobre Verdade

Capítulo 6. O despertar e o florescimento: 1974, 11ª palestra, "The Cessation of Suffering"

Capítulo 7. A meditação como o caminho para a budeidade: 1983, 6ª palestra, "Cessation and Path"

Capítulo 8. Transcender o samsara e o nirvana: 1975, 7ª palestra, "Cessation"; 1978, 8ª palestra, "Cessation"

A Quarta Nobre Verdade

Capítulo 9. O caminho sem dúvidas: 1975, 8ª palestra, "The Path"

Capítulo 10. Os cinco caminhos: 1973, 13ª palestra, "Middle Level of the Path of Accumulation"; 1974, 12ª palestra, "The Path"; 1978, 9ª palestra, "The Path"

O editor, da edição em inglês, agradece e registra o uso ou a adaptação dos verbetes de glossários das seguintes fontes:

Illusion's Game, de Chögyam Trungpa, em *The Collected Works of Chögyam Trungpa*, 5º volume (Boston: Shambhala Publications, 2004). *The Chariot of Liberation*, de Ösel Tendzin e Dorje Löppon Lodrö Dorje (Halifax: Vajradhatu Publications, 2002). Usado com a autorização de Lodrö Dorje. *The Three Vehicles of Buddhist Prac-*

tice, de Khenchen Thrangu Rinpoche, traduzido do tibetano para o inglês por Ken Holmes e organizado por Clark Johnson (Boulder: Namo Buddha Seminar, 1998). Usado com autorização. *The Rain of Wisdom*, traduzido do tibetano para o inglês por Nālandā Translation Committee sob a direção de Chögyam Trungpa (Boston: Shambhala Publications, 1989). Usado com autorização de Nālandā Translation Committee. *Glimpses of Mahayana*, de Chögyam Trungpa (Halifax: Vajradhatu Publications, 2001).

O texto inglês de "The First Turning of the Wheel of Dharma" é uma reimpressão de *Old Path, White Clouds: Walking in the Footsteps of the Buddha*, de Thich Nhat Hanh (Berkeley, Calif.: Parallax Press, 1991). Reimpresso com autorização (www.parallax.org).

O ensaio "The Practice of Meditation: Basic Instructions and Guidelines" é uma reimpressão de um artigo inédito de Chögyam Trungpa Rinpoche.

INFORMAÇÕES

Para mais informações sobre instrução de meditação ou para encontrar um centro de prática próximo de você, por favor, entre em contato com uma das seguintes entidades:

Shambhala Brasil — Centro de Meditação e Estudos Budistas
Centro Shambhala de Meditação de São Paulo
Telefone: (11) 3596-3792
E-mail: info@shambhala-brasil.org
Website: www.shambhala-brasil.org

Shambhala International
1084 Tower Road
Halifax, Nova Scotia
Canada B3H 2Y5
Telefone: +1 (902) 425-4275
Website: www.shambhala.org

Karmê Chöling
369 Patneaude Lane
Barnet, Vermont 05821
Telefone: +1 (802) 633-2384
Website: www.karmecholing.org

Shambhala Mountain Center
4921 Country Road 68C
Red Feather Lakes, Colorado 80545
Telefone: +1 (970) 881-2184
Website: www.shambhalamountain.org

Gampo Abbey
Pleasant Bay, Nova Scotia
Canada BoE 2Po
Telefone: +1 (902) 224-2752
Website: www.gampoabbey.org

Dechen Choling
Mas Marvent
87700 St. Yrieix Aixe
França
Telefone: +33 5-55-03-55-52
Website: www.dechencholing.org

Naropa University é a única universidade de inspiração budista autorizada na América do Norte. Para mais informações, entrar em contato com:

Naropa University
2130 Arapahoe Avenue
Boulder, Colorado 80302
Telefone: +1 (303) 444-0202
Website: www.naropa.edu

Excertos dos amplos ensinamentos de Chögyam Trungpa Rinpoche podem ser enviados a você durante a semana pelo serviço Ocean of Dharma Quotes of the Week. As citações podem ser de textos ainda não publicados, publicações previstas para lançamento futuro ou de fontes já publicadas anteriormente. As citações de Ocean of Dharma Quotes of the Week são escolhidas por Carolyn Rose Gimian. Para inscrever-se, vá ao site OceanofDharma.com.

Para informações sobre instrução de meditação, por favor, visite o website de Shambhala Brasil Centro de Meditação e Estudos Budistas em www.shambhala-brasil.org ou Shambhala International em www.shambhala.org. Esse website contém informações sobre mais de uma centena de centros associados à Shambhala.

Um projeto denominado Chögyam Trungpa Legacy Project foi estabelecido para ajudar a preservar, disseminar e expandir o legado de Chögyam Trungpa. O Legacy Project apoia a preservação, a propagação e a publicação dos ensinamentos dármicos de Trungpa Rinpoche. Isso inclui planos para a criação de um arquivo virtual abrangente e uma comunidade de aprendizado. Para mais informações, acesse a ChogyamTrungpa.com.

Para publicações de Vajradhatu Publications e Kalapa Recordings, incluindo livros e materiais audiovisuais, acesse www.shambhalashop.com.

Para informações sobre arquivos da obra do autor, favor entrar em contato com a Shambhala Archives: archives@shambhala.org.

PRÓXIMOS LANÇAMENTOS

Para receber informações sobre os lançamentos da Editora Cultrix, basta cadastrar-se no site: www.editoracultrix.com.br

Para enviar seus comentários sobre este livro, visite o site www.editoracultrix.com.br ou mande um e-mail para atendimento@editoracultrix.com.br